Leitfaden zur Prostatagesund heit für Männer über 60

Lebenslange Strategien für Wohlbefinden und Früherkennung

Adam C. Zakrzewski

INHALTSVERZEICHNIS

EINLEITUNG

GESUNDHEIT DER PROSTATA VERSTEHEN

Die Gesundheit der Prostata ist ein Thema, dessen sich alle Männer bewusst sein sollten, aber es wird häufig ignoriert, bis Probleme auftreten. Trotz ihrer bescheidenen Größe spielt die Prostata eine wichtige Rolle für die Fortpflanzung und die allgemeine Gesundheit eines Mannes. Das Verständnis der Funktion der Prostata, der weit verbreiteten Erkrankungen und der vorbeugenden Maßnahmen ist entscheidend für die langfristige Gesundheit.

Die Prostata ist eine walnussgroße Drüse, die direkt unter der Blase und vor dem Enddarm sitzt. Es umgibt einen Teil der Harnröhre, der Röhre, durch die der Urin den Körper verlässt. Eine seiner wesentlichen Aufgaben ist es, eine Flüssigkeit zu erzeugen, die Bestandteil des Samens ist, Füttert und schützt die Spermien. Mit zunehmendem Alter verändert sich die Prostata häufig, die zu einer Vielzahl von gesundheitlichen Problemen führen können. Es ist wichtig, diese Veränderungen zu erkennen und zu verstehen, wie sie erfolgreich angegangen werden können.

Die Bedeutung der Prostatagesundheit

Die Aufrechterhaltung einer gesunden Prostatagesundheit ist aus einer Vielzahl von Gründen von entscheidender Bedeutung. Die Prostata reguliert die Urinfunktion, die sexuelle Gesundheit und den allgemeinen Komfort. Prostataprobleme können diese Lokalisationen beeinflussen und schwere Beschwerden und Folgen verursachen.

Eine der häufigsten Erkrankungen, die Männer mit zunehmendem Alter entwickeln, ist die gutartige Prostatahyperplasie (BPH), eine vergrößerte Prostata. Diese nicht krebsartige Erkrankung kann zu Schwierigkeiten beim Wasserlassen, häufigem Harndrang und einem schwachen Harnstrahl führen. Obwohl BPH nicht lebensbedrohlich ist, kann sie, wenn sie nicht richtig behandelt wird, einen erheblichen Einfluss auf die Lebensqualität haben.

Prostatakrebs ist ein weiteres kritisches Problem. Sie ist eine der häufigsten Krebsarten bei Männern, vor allem bei älteren

Menschen. Prostatakrebs kann effizienter behandelt werden, wenn er frühzeitig erkannt wird. Daher sind regelmäßige Untersuchungen und Tests für die Gesundheit der Prostata von entscheidender Bedeutung.

Schlüsselfunktionen der Prostata

Um vollständig zu verstehen, warum die Gesundheit der Prostata so wichtig ist, müssen wir zunächst die grundlegenden Aktivitäten der kleinen Drüse verstehen. Die Prostata produziert Samenflüssigkeit, die sich mit Spermien verbindet, um Sperma zu bilden. Diese Flüssigkeit ist für die Beweglichkeit und Fruchtbarkeit der Spermien von entscheidender Bedeutung, da sie die Spermien auf ihrem Weg durch das Fortpflanzungssystem schützt und nährt.

Neben ihrer Fortpflanzungsfunktion reguliert die Prostata auch den Harnfluss. Sie befindet sich an der Schnittstelle zwischen Blase und Harnröhre und kann bei einer Vergrößerung der Drüse den Urinfluss blockieren. Aus diesem Grund berichten Männer mit Prostataproblemen in der Regel über Harnwegsbeschwerden wie Schwierigkeiten beim Wasserlassen, verminderter Urinfluss oder der Drang, häufig zu urinieren, insbesondere nachts.

Häufige gesundheitliche Bedenken hinsichtlich der Prostata:

Verschiedene Erkrankungen können die Prostata betreffen; Daher ist ihr Erkennen für die Früherkennung und Behandlung von entscheidender Bedeutung. Die drei häufigsten Gesundheitsprobleme im Zusammenhang mit der Prostata sind die gutartige Prostatahyperplasie (BPH), die Prostatitis und der Prostatakrebs.

Gutartige Prostatahyperplasie (BPH): BPH oder vergrößerte Prostata ist eine häufige Erkrankung, die ältere Männer betrifft. Mit zunehmendem Alter schwillt die Prostata auf natürliche Weise an, was zu Schwierigkeiten beim Wasserlassen führen kann. Zu den Symptomen von BPH gehören häufiges Wasserlassen, Schwierigkeiten, den Urinfluss zu initiieren oder zu stoppen, ein schwacher Urinstrahl und das Gefühl, dass die Blase nicht vollständig entleert war. Obwohl BPH nicht bösartig ist, kann sie schwere Beschwerden und Folgen haben, wenn sie nicht behandelt wird.

Prostatitis: Prostatitis ist eine Prostataentzündung, die durch Bakterien oder andere Gründe verursacht wird. Diese Störung kann Männer jeden Alters betreffen und führt häufig zu schmerzhaftem oder schwierigem Wasserlassen, Beckenschmerzen und Beschwerden während der Ejakulation. Prostatitis wird in vier Typen eingeteilt: akute bakterielle Prostatitis, chronische bakterielle Prostatitis, chronisches Beckenschmerzsyndrom (CPPS) und stille entzündliche Prostatitis. Die Behandlung variiert je nach Typ, kann aber Antibiotika, entzündungshemmende Medikamente oder andere Therapien umfassen.

Prostatakrebs: Prostatakrebs ist die gefährlichste Krankheit, die die Prostata betrifft. Es tritt auf, wenn sich abnormale Zellen in der Prostata bilden und sich unkontrolliert vermehren. Prostatakrebs wächst in der Regel langsam, und viele Männer haben möglicherweise keine Symptome, bis die Krankheit fortgeschritten ist. Regelmäßige Vorsorgeuntersuchungen, wie z. B. PSA-Bluttests und digitale rektale Untersuchungen (DRE), können Prostatakrebs im Frühstadium erkennen. Wenn Prostatakrebs früh erkannt wird, ist er oft heilbar, und viele Männer können ein langes, gesundes Leben führen nach der Behandlung.

Proaktive Schritte zur Erhaltung der Prostatagesundheit

Während spezifische Prostataprobleme aufgrund des Alterns unvermeidlich sind, können Männer Maßnahmen ergreifen, um die Gesundheit der Prostata zu erhalten und ihre Wahrscheinlichkeit zu verringern, an schwerwiegenden Erkrankungen zu erkranken. Gesunde Verhaltensweisen zu integrieren und informiert zu bleiben, ist für eine langfristige Gesundheit unerlässlich.

1. Regelmäßiges Screening: Regelmäßige Tests sind eines der wichtigsten Dinge, die ein Mann tun kann, um seine Prostatagesundheit zu schützen. Männer sollten ihren Arzt konsultieren, um im Alter von etwa 50 Jahren (oder früher, wenn sie eine familiäre Vorgeschichte von Prostatakrebs haben) mit häufigen PSA-Tests und DREs zu beginnen. Die Früherkennung ist entscheidend für die Behandlung von BPH und Prostatakrebs.

2. Ernährungs- und Lebensstiloptionen: Eine ausgewogene Ernährung mit viel Obst, Gemüse und Vollkornprodukten kann die Gesundheit der Prostata verbessern. Einige Studien deuten darauf hin, dass

Antioxidantienreiche Lebensmittel wie Tomaten (die Lycopin enthalten), grüner Tee und Kreuzblütler wie Brokkoli helfen, das Auftreten von Prostataproblemen zu reduzieren. Die Aufrechterhaltung eines gesunden Gewichts und körperliche Aktivität können auch dazu beitragen, das Risiko für

Prostatakrebs oder andere Prostataerkrankungen zu verringern.

3. Flüssigkeitszufuhr und Blasengesundheit: Wenn Sie hydratisiert bleiben und sich um Ihre Blase kümmern, können Sie Probleme mit BPH vermeiden. Der Verzicht auf Koffein und Alkohol, die die Blase reizen und Harnwegsbeschwerden verstärken können, kann ebenfalls Ihren Komfort und Ihre Lebensqualität verbessern.

4. Stressbewältigung: Chronischer Stress wirkt sich negativ auf die allgemeine Gesundheit aus, einschließlich der Prostatafunktion. Stressabbaupraktiken wie Achtsamkeit, Meditation oder regelmäßige Bewegung können helfen, Prostatasymptome zu kontrollieren und gleichzeitig das allgemeine Wohlbefinden zu fördern.

5. Vermeiden Sie Rauchen und übermäßigen Alkoholkonsum:

Rauchen und starker Alkoholkonsum können sowohl das Risiko für Prostatakrebs erhöhen als auch die BPH-Symptome verschlimmern. Mit dem Rauchen aufzuhören und den Alkoholkonsum zu reduzieren, ist entscheidend für die langfristige Gesundheit der Prostata.

Screening und Diagnose verstehen

Die Gesundheit der Prostata erfordert eine frühzeitige Erkennung. Regelmäßige Prostatauntersuchungen und PSA-Tests können helfen, potenzielle Probleme zu erkennen, bevor sie ernst werden. PSA ist ein Protein, das von der Prostata produziert wird, und ein hoher PSA-Spiegel im Blut kann auf das Vorhandensein von Prostatakrebs oder anderen Prostataproblemen hinweisen. Erhöhte PSA-Werte müssen jedoch nicht automatisch auf Malignität hinweisen, da auch andere Erkrankungen wie Prostatitis oder BPH einen Anstieg des PSA-Werts verursachen können.

Eine digitale rektale Untersuchung (DRE) ermöglicht es Ärzten, die Prostata physisch auf Anomalien zu untersuchen. Auch wenn es unangenehm sein mag, ist es ein schneller und praktischer Ansatz, um Prostatakrebs zu erkennen. Männer

sollten sich mit ihrem Arzt darüber beraten, wann mit dem Screening begonnen werden soll, insbesondere wenn sie eine familiäre Vorgeschichte von Prostatakrebs haben oder afroamerikanischer Herkunft sind, da sie möglicherweise einem höheren Risiko ausgesetzt sind.

Wenn bei Screenings Anomalien entdeckt werden, können zusätzliche Tests wie eine Prostatabiopsie oder ein MRT erforderlich sein, um die zugrunde liegende Ursache der

Symptome zu diagnostizieren. Die Früherkennung mit diesen Instrumenten ist entscheidend für eine effektive Behandlung und Behandlung.

Fortschritte in der Prostatabehandlung

Prostatatherapien haben sich im Laufe der Zeit erheblich weiterentwickelt. BPH-Behandlungen umfassen jetzt minimalinvasive Verfahren zur Reduzierung oder Entfernung von überschüssigem Prostatagewebe, was die Symptome lindert und die Lebensqualität verbessert. Zu den Therapien bei Prostatakrebs gehören die aktive Überwachung (für Patienten mit niedrigem Risiko), Operationen, Strahlentherapien, Hormontherapien und neuere Ansätze wie die Immuntherapie.

Die Behandlung der Prostatagesundheit entwickelt sich weiter, und die Forschung konzentriert sich auf die Verbesserung der Ergebnisse und die Minimierung von Nebenwirkungen. Bevor Männer gesundheitsbezogene Entscheidungen treffen, sollten sie sich mit ihrem Arzt über alle Behandlungsmöglichkeiten beraten und die Vorteile und potenziellen Gefahren abwägen.

Die Rolle der Gesundheitsdienstleister

Der offene Kontakt mit Ärzten ist entscheidend für die Aufrechterhaltung der Gesundheit der Prostata. Männer sollten keine Angst davor haben, Bedenken zu äußern, egal wie unbedeutend sie erscheinen. Symptome wie häufiges Wasserlassen, Schwierigkeiten beim Einleiten oder Stoppen des Harnflusses oder Beckenschmerzen sollten nicht übersehen werden. Proactive Healthcare ist der beste Ansatz, um Probleme frühzeitig zu erkennen und adäquat anzugehen.

Gesundheitsexperten können auch maßgeschneiderte Beratung auf der Grundlage des spezifischen Gesundheitsprofils eines Mannes anbieten, das

Enthält seine Familiengeschichte, sein Alter und seinen Lebensstil. Regelmäßige Untersuchungen, Vorsorgeuntersuchungen und Gespräche mit Ihrem Arzt sind wesentliche Bestandteile eines proaktiven Ansatzes für die Gesundheit der Prostata.

Das Verständnis der Prostatagesundheit ist der erste Schritt, um sie zu erhalten. Männer jeden Alters sollten verstehen, wie die Prostata funktioniert, welche potenziellen Probleme auftreten können und welche Aktivitäten sie ergreifen können, um die Gesundheit der Prostata zu unterstützen. Regelmäßige Untersuchungen, eine gesunde Ernährung,

Bewegung und ein offener Kontakt zu Gesundheitsexperten sind für die Prostataversorgung unerlässlich.

Männer können ihre Prostatagesundheit schützen und ihr Risiko für schwere Erkrankungen wie BPH und Prostatakrebs senken, indem sie informiert bleiben und vorbeugende Maßnahmen ergreifen.

KAPITEL 1: ANATOMIE UND FUNKTION DER PROSTATA

DETAILLIERTER ÜBERBLICK ÜBER DIE PROSTATA

Obwohl die Prostata relativ klein ist, spielt sie eine entscheidende Rolle im männlichen Fortpflanzungssystem. Die Prostata befindet sich direkt unter der Blase und vor dem Enddarm und ist etwa so groß wie eine Walnuss bei erwachsenen Männern. Seine einzigartige Position und seine Funktionen machen es zu einem unverzichtbaren Organ, nicht nur in Bezug auf die Fortpflanzung, sondern auch für die Gesundheit der Harnwege. Das Verständnis der Anatomie und Funktion der Prostata ist von grundlegender Bedeutung, um ihre Bedeutung zu schätzen und die Bedeutung proaktiver Gesundheitsmaßnahmen zu erkennen.

Anatomie der Prostata

Die Prostata ist eine Drüse, die einen Teil der Harnröhre umgibt, die Röhre, die den Urin aus der Blase aus dem Körper transportiert. Es sitzt genau dort, wo die Harnröhre aus der Blase austritt. Mit zunehmendem Alter nimmt die Prostata tendenziell zu, was manchmal zu Komplikationen führen kann, insbesondere wenn sie beginnt, gegen die Harnröhre zu drücken.

Strukturell kann die Prostata in mehrere vitale Zonen bzw. Regionen unterteilt werden:

- **Periphere Zone:** Dies ist der größte Bereich der Prostata und ist der Ort, an dem sich die meisten Prostatakrebsarten entwickeln. Es wickelt sich um die Außenseite der Drüse und ist damit der am besten zugängliche Teil einer digitalen rektalen Untersuchung (DRE).

- **Zentrale Zone:** Diese Region umgibt die Ejakulationsgänge und ist weniger anfällig für Erkrankungen wie Krebs oder Vergrößerung.

- **Übergangszone:** Dies ist die Region, die die Harnröhre umgibt und am häufigsten von einer gutartigen Prostatahyperplasie (BPH) oder Prostatavergrößerung betroffen ist.

- **Vorderes fibromuskuläres Stroma:** Eine dichte

Geweberegion, die die Drüse strukturell unterstützt, obwohl sie keine aktive Rolle bei ihrer Sekretion spielt

Funktionen.

Die gesamte Prostata ist von einer fibrösen Kapsel umgeben, einer harten äußeren Schicht, die der Drüse Struktur und Halt verleiht. Das Verständnis der Anatomie der Prostata gibt Aufschluss darüber, warum bestimmte Gesundheitsprobleme wie Krebs oder BPH in bestimmten Regionen der Prostata auftreten und wie sie sich auf die Harnfunktion auswirken können.

Funktion der Prostata

Die Hauptaufgabe der Prostata besteht darin, eine Flüssigkeit zu produzieren, die zur Zusammensetzung des Samens beiträgt. Diese Flüssigkeit ist für die männliche Fruchtbarkeit von entscheidender Bedeutung, da sie die Spermien nährt und schützt. Die Prostata trägt etwa 30 % des gesamten Samenvolumens bei, weitere Beiträge kommen von den Samenbläschen und den Hoden. Prostataflüssigkeit ist leicht alkalisch, was dazu beiträgt, den Säuregehalt des Vaginaltrakts zu neutralisieren und die Wahrscheinlichkeit zu erhöhen, dass die Spermien überleben und eine Eizelle erfolgreich befruchten.

Eine weitere wesentliche Funktion der Prostata ist die Regulierung des Urinflusses. Da die Harnröhre direkt durch die Mitte der Prostata verläuft, kann die Größe und Gesundheit der Drüse

beeinflussen die Harnfunktion. Wenn sich die Prostata aufgrund von BPH vergrößert, kann sie die Harnröhre zusammendrücken und den Urinaustritt erschweren. Aus diesem Grund leiden Männer mit Prostatavergrößerung häufig unter Symptomen wie Schwierigkeiten beim Wasserlassen, einem schwachen Harnstrahl und häufigem Harndrang, insbesondere nachts.

Zusammensetzung der Prostataflüssigkeit

Die von der Prostata produzierte Flüssigkeit enthält mehrere Vitalstoffe, die die Gesundheit der Spermien unterstützen:

- **Enzyme:** Diese helfen, das Sperma nach der Ejakulation zu verdünnen, wodurch es für die Spermien einfacher wird, in Richtung der Eizelle zu schwimmen. Das prostataspezifische Antigen (PSA), ein von der Prostata produziertes Enzym, ist ein solches Enzym, das hilft, Sperma zu verflüssigen.

- **Zink:** Dieses Mineral spielt eine Rolle bei der Aufrechterhaltung der Stabilität der DNA der Samenzellen. Es hat auch antibakterielle Eigenschaften, die dazu beitragen können, das Risiko von Infektionen im Fortpflanzungssystem zu verringern.

- **Zitronensäure:** Zitronensäure ist zwar in geringen Mengen vorhanden, aber sie ist entscheidend, um die Prostataflüssigkeit in der Nähe zu halten.

das richtige pH-Gleichgewicht und fördert eine gesunde Umgebung, in der die Spermien gedeihen können.

- **Spermin:** Diese Verbindung, die in der Prostataflüssigkeit vorkommt, hilft, die DNA der Spermien zu stabilisieren und sicherzustellen, dass sie während der Fortpflanzung gesund bleibt.

Diese Substanzen sorgen zusammen dafür, dass die Spermien gut genährt, geschützt und in der Lage sind, sich frei durch das weibliche Fortpflanzungssystem zu bewegen, was die Chancen auf eine erfolgreiche Befruchtung erhöht.

Die Rolle der Prostata bei der reproduktiven Gesundheit

Die Gesundheit der Prostata ist direkt mit der Fortpflanzungsfähigkeit verbunden. Eine gut funktionierende Prostata sorgt dafür, dass die Spermien gut geschützt, genährt und beweglich sind, was ein entscheidender Faktor für die

Fruchtbarkeit ist. Probleme mit der Prostata, wie Entzündungen, Infektionen oder Krebs, können die Fortpflanzungsfähigkeit eines Mannes beeinträchtigen.

Mit zunehmendem Alter kommt es häufig zu Prostataproblemen, wobei die gutartige Prostatahyperplasie (BPH) am häufigsten auftritt. Obwohl BPH nicht krebsartig ist, kann sie zu unangenehmen Harnwegssymptomen führen, die

gehandhabt. Prostatitis, eine Prostataentzündung, kann ebenfalls Beschwerden verursachen und manchmal mit bakteriellen Infektionen in Verbindung gebracht werden. Prostatakrebs ist zwar schwer, entwickelt sich aber oft langsam, und eine frühzeitige Erkennung durch regelmäßige Vorsorgeuntersuchungen kann zu einer wirksamen Behandlung führen.

Wie die Prostata die Harnfunktion beeinflusst

Aufgrund ihrer Lage um die Harnröhre spielt die Prostata eine wichtige Rolle für die Gesundheit der Harnwege. Bei normaler Funktion beeinträchtigt die Prostata den Urindurchgang nicht. Wenn es jedoch wächst, typischerweise mit zunehmendem Alter, kann es auf die Harnröhre und die Blase drücken, was zu Harnproblemen führt.

Bei Männern mit einer vergrößerten Prostata können mehrere Symptome auftreten:

- Schwierigkeiten beim Wasserlassen

- Ein schwacher Harnstrahl

- Ein Gefühl der unvollständigen Blasenentleerung

- Erhöhte Häufigkeit des Wasserlassens, insbesondere nachts

- Dringender Harndrang

Diese Symptome sind häufig mit einer gutartigen Prostatahyperplasie (BPH) verbunden, können aber auch bei Männern mit Prostatakrebs auftreten. Männer, bei denen eines dieser Symptome auftritt, müssen mit einem Arzt sprechen, da ein frühzeitiges Eingreifen weitere Komplikationen verhindern kann.

Hormoneller Einfluss auf die Prostata

Hormone spielen eine bedeutende Rolle für das Wachstum und die Funktion der Prostata. Testosteron, das primäre männliche Hormon, und seine wirksamere Form, Dihydrotestosteron (DHT), sind entscheidend für die Regulierung der Prostatafunktion. DHT wird aus Testosteron gewonnen und hat eine stärkere Wirkung auf die Prostata,

fördert ihr Wachstum während der Pubertät und behält ihre Größe und Funktion im Erwachsenenalter bei.

Mit zunehmendem Alter bleibt der DHT-Spiegel jedoch hoch, während die Testosteronproduktion abnimmt, was zur Entwicklung von BPH beitragen kann. Dieses hormonelle Ungleichgewicht ist einer der Gründe, warum eine Prostatavergrößerung bei älteren Männern häufiger auftritt. Bei der Behandlung von BPH und Prostatakrebs wird häufig eine Hormontherapie durchgeführt, um die

DHT-Spiegel und verlangsamen das Wachstum der Prostata.

Erhaltung der Prostatagesundheit

Angesichts der entscheidenden Rolle der Prostata sowohl für die Fortpflanzungs- als auch für die Harngesundheit ist es wichtig, proaktive Schritte zur Erhaltung der

Prostatagesundheit zu unternehmen. Eine ausgewogene Ernährung, die reich an Obst, Gemüse und Vollkornprodukten ist, kann die allgemeine Gesundheit unterstützen, während bestimmte Nährstoffe wie Lycopin (in Tomaten enthalten) und Selen mit einem verringerten Risiko für Prostataprobleme in Verbindung gebracht werden. Regelmäßige körperliche Aktivität und die Aufrechterhaltung

eines gesunden Gewichts sind ebenfalls entscheidend, um das Risiko von Prostataproblemen, einschließlich BPH und Krebs, zu verringern.

Routinemäßige Vorsorgeuntersuchungen und Vorsorgeuntersuchungen sind für die Früherkennung von Prostataproblemen unerlässlich. Männer über 50 Jahre oder früher für Männer mit Prostatakrebs in der Familienanamnese sollten mit ihrem Arzt den richtigen Zeitpunkt für den Beginn von Prostata-spezifischen Antigen (PSA)-Tests und digitalen rektalen Untersuchungen (DREs) besprechen. Die Früherkennung von Erkrankungen wie BPH und Prostatakrebs ermöglicht eine effektivere Behandlung und eine bessere Lebensqualität.

Die Prostata mag klein sein, aber für Männer unerlässlich

reproduktive Gesundheit und Harnfunktion. Das Verständnis der Anatomie und Funktion der Prostata ist der erste Schritt zur langfristigen Erhaltung der Gesundheit. Indem sie sich informieren und proaktive Maßnahmen ergreifen – wie z. B. einen gesunden Lebensstil annehmen und regelmäßige Vorsorgeuntersuchungen planen – können Männer sicherstellen, dass ihre Prostata gesund bleibt und dass potenzielle Probleme behoben werden, bevor sie ernst werden.

SCHLÜSSELROLLEN DER PROSTATA FÜR DIE MÄNNLICHE GESUNDHEIT

Trotz ihrer winzigen Größe ist die Prostata für die Gesundheit und das Wohlbefinden von Männern unerlässlich, insbesondere bei Fortpflanzungs- und Harntätigkeiten. Das Verständnis ihrer grundlegenden Funktionen erklärt, warum die Aufrechterhaltung einer gesunden Prostata von entscheidender Bedeutung ist, insbesondere wenn Männer älter werden. Die Lage und die Funktionen der Drüse machen sie für die Spermienbildung, die Befruchtung und die Urinkontrolle unerlässlich.

Schlüsselrollen der Prostata bei der reproduktiven Gesundheit

Eine der entscheidenden Funktionen der Prostata ist es, zur männlichen Fruchtbarkeit beizutragen. Es produziert eine beträchtliche Menge der Flüssigkeit, aus der das Sperma besteht, das für eine erfolgreiche Fortpflanzung unerlässlich ist. Diese Flüssigkeit, die als Prostataflüssigkeit bekannt ist, enthält Nährstoffe und Enzyme, die die Spermien auf ihrem Weg durch das weibliche Fortpflanzungssystem nähren und schützen.

Die Prostataflüssigkeit ist etwas alkalisch, was dazu beiträgt, das saure Milieu der Vagina auszugleichen. Dieses Gleichgewicht ist von entscheidender Bedeutung, da es die Spermien vor Schäden schützt und es ihnen ermöglicht, länger zu überleben. Ohne diese Alkalität würden die Spermien Schwierigkeiten haben, zu überleben und die Eizelle zu erreichen, was die Prostata für die Fruchtbarkeit notwendig macht.

Darüber hinaus produziert die Prostata mehrere Proteine und Enzyme, die die Gesundheit der Spermien fördern. Eines der bekanntesten ist **das prostataspezifische Antigen (PSA),** ein Enzym, das bei der Ausdünnung von

Sperma nach der Ejakulation. Dieser Verflüssigungsprozess ermöglicht es den Spermien, sich frei in Richtung der Eizelle zu bewegen, was die Wahrscheinlichkeit einer erfolgreichen Befruchtung erhöht.

Die Flüssigkeit der Prostata enthält Zink und Zitronensäure, die zur strukturellen Integrität der Spermien beitragen. Diese Komponenten tragen dazu bei, die DNA der Spermien zu erhalten, was die Fruchtbarkeit noch weiter verbessert. Die Rolle der Prostata bei der Fortpflanzung geht über die Flüssigkeitsproduktion hinaus, indem sie die Spermien gesund und lebensfähig hält. Es verbessert aktiv die gesamte Fortpflanzungsfähigkeit des Mannes.

Die Funktion der Prostata bei der Gesundheit der Harnwege

Neben ihren fortpflanzungsfähigen Aufgaben ist die Prostata für die Gesundheit der Harnwege unerlässlich. Die Prostata befindet sich direkt unter der Blase und umgibt die Harnröhre, wodurch der Urin aus dem Körper transportiert wird. Diese Position erfordert, dass die Prostata den Urinfluss reguliert.

Typischerweise lässt die Prostata den Urin leicht wandern

von der Blase bis zur Harnröhre. Mit zunehmendem Alter kann

sich die Prostata jedoch erweitern, eine Krankheit, die als gutartige Prostatahyperplasie **(BPH) bekannt ist.** In diesem Fall drückt die vergrößerte Prostata gegen die Harnröhre, verengt sie und blockiert den Urinfluss. Zu den Symptomen können Schwierigkeiten beim Wasserlassen, ein schwacher oder intermittierender Urinstrahl, das Gefühl, dass sich die Blase nicht vollständig entleert hat, und ein erhöhter Harndrang, insbesondere nachts (Nykturie), gehören.

Diese unangenehmen Symptome können die Lebensqualität eines Mannes erheblich beeinträchtigen. Aus diesem Grund ist es wichtig, die Rolle der Prostata für die Harnfunktion zu verstehen. Männer mit einer vergrößerten Prostata können oft mit Medikamenten oder in schwereren Fällen mit chirurgischen Eingriffen Linderung finden, um den normalen Harnfluss wiederherzustellen.

Der Zusammenhang zwischen der Gesundheit der Prostata und der Harnwege wird mit zunehmendem Alter deutlicher, wobei viele von Männern als Folge von BPH Urinsymptome entwickeln. Proaktive Maßnahmen ergreifen, um ein gesundes Leben zu erhalten

Die Prostata, wie z. B. Bewegung und eine ausgewogene

Ernährung, können dazu beitragen, diese Probleme zu reduzieren und eine reibungslosere Harnfunktion zu fördern.

Gesundheit der Prostata und hormoneller Haushalt.

Die Prostata spielt über das Hormonsystem auch eine wichtige Rolle für die männliche Gesundheit. Männliche Hormone, insbesondere **Testosteron** und seine wirksamere Version, **Dihydrotestosteron (DHT),** beeinflussen die Prostata erheblich. Diese Hormone regulieren das Wachstum und die Funktion der Prostata, insbesondere während der Pubertät und des frühen Erwachsenenalters.

Die Hoden produzieren den Großteil des Testosterons, obwohl eine geringe Menge in der Prostata in DHT umgewandelt wird. DHT ist für die Entwicklung sekundärer männlicher Merkmale während der Pubertät verantwortlich und hilft, die Gesundheit und Größe der Prostata im reifen Zustand zu erhalten. Mit zunehmendem Alter können Männer jedoch ihre DHT-Spiegel aus dem Gleichgewicht bringen, was die Prostatavergrößerung und die Entwicklung von BPH fördert.

Dieses hormonelle Ungleichgewicht ist eine der Hauptursachen für die Prostatavergrößerung bei älteren

Männern. Das Verständnis des Zusammenhangs zwischen Hormonen und der Prostata kann Männern helfen, das hormonelle Gleichgewicht aufrechtzuerhalten und möglicherweise ihr Risiko für Prostataerkrankungen zu senken. Einige BPH- und Prostatakrebsbehandlungen verwenden beispielsweise eine Hormontherapie, um die DHT-Produktion zu reduzieren, was das Prostatawachstum verlangsamt und die Symptome lindert.

Immunologische Funktion der Prostata

Die Prostata hat auch eine weniger bekannte Beteiligung am männlichen Immunsystem. Es produziert Flüssigkeit mit

Bestandteilen, die dazu beitragen, das männliche Fortpflanzungssystem vor Infektionen zu schützen. Dies ist besonders wichtig für die Vorbeugung von Krankheiten wie **Prostatitis,** einer Prostataentzündung, die durch bakterielle Infektionen oder andere Faktoren verursacht wird.

Zink, das in hohen Mengen in der Prostataflüssigkeit vorkommt, hat

Signifikante antibakterielle Eigenschaften, die bei der Vorbeugung von Infektionen des Harnwegs und des

Fortpflanzungstrakts helfen. Diese Abwehrstoffe in der Prostataflüssigkeit schützen den Körper vor möglichen Krankheitserregern und halten das Fortpflanzungs- und Harnsystem gesund.

Prostatitis ist zwar seltener als BPH oder Prostatakrebs, kann aber bei Männern jeden Alters erhebliche Beschwerden und Harnbeschwerden verursachen. Die Aufrechterhaltung einer guten Prostatagesundheit durch häufige Untersuchungen und einen gesunden Lebensstil trägt dazu bei, das Risiko für Prostatitis und andere Krankheiten zu senken.

Prostatakrebs und seine Auswirkungen auf die Gesundheit

Die gefährlichste Prostataerkrankung ist **Prostatakrebs,** eine

der häufigsten Krebsarten bei Männern. Obwohl die Prostata bescheiden ist, deuten ihre Lage und ihre Funktionen darauf hin, dass abnormale Wucherungen in ihr ernsthafte gesundheitliche Probleme verursachen können. Prostatakrebs entwickelt sich oft schleichend, und viele Männer entdecken die Symptome erst nach der Krankheit

hat sich weiterentwickelt.

Krebs in der Prostata beginnt in der Regel in der **peripheren**

Zone, dem äußersten Teil der Drüse. Da sich dieser Bereich in der Nähe des Rektums befindet, kann Prostatakrebs in der Regel mit routinemäßigen Screening-Maßnahmen wie einer digitalen rektalen Untersuchung (DRE) und einem **Prostata-spezifischen Antigen (PSA)-Test frühzeitig diagnostiziert werden.**

Da Prostatakrebs langsam wächst, können viele Männer mit dieser Erkrankung jahrelang ohne ernsthafte gesundheitliche Probleme auskommen. In extremeren Fällen kann sich Krebs jedoch über die Prostata hinaus auf andere Körperteile wie Knochen und Lymphknoten ausbreiten. Daher sind die Früherkennung und das Screening für ein erfolgreiches Management von entscheidender Bedeutung.

Die Behandlungsmöglichkeiten für Prostatakrebs variieren je nach Stadium und Aggressivität des Krebses sowie je nach

allgemeiner Gesundheit des Mannes. Einige Behandlungen zielen darauf ab, den Tumor zu entfernen oder zu verkleinern, während andere versuchen, die DHT-Synthese zu begrenzen, um die Proliferation von Krebszellen zu verlangsamen. Hormontherapie, Operation und Bestrahlung sind

Standardbehandlungen für Prostatakrebs, aber die beste Option variiert von Person zu Person.

Die allgemeine Bedeutung der Prostata für die Gesundheit von Männern

Die Prostata spielt eine wichtige Rolle in verschiedenen Aspekten der männlichen Gesundheit. Es ist ein kritisches Organ, das aus verschiedenen Gründen Aufmerksamkeit und Pflege benötigt, darunter Fortpflanzungsprozesse, die Regulierung des Urinflusses und die Immunabwehr. Die Gesundheit der Prostata wird mit zunehmendem Alter immer wichtiger, insbesondere wenn Erkrankungen wie BPH und Prostatakrebs häufiger auftreten.

Maßnahmen zur Erhaltung einer guten Prostatagesundheit, einschließlich einer ausgewogenen Ernährung, häufiger

Bewegung, Stressbewältigung und regelmäßiger Untersuchungen, können die langfristigen

Gesundheitsergebnisse erheblich beeinflussen. Das Verständnis der Aufgaben und Funktionen der Prostata ermöglicht es Männern, proaktive Schritte zu unternehmen, um sicherzustellen, dass diese kleine, aber entscheidende Drüse weiterhin

effektiv zu arbeiten und so die allgemeine Gesundheit und Lebensqualität zu verbessern.

Die Prostata ist entscheidend für die Gesundheit von Männern, und mit zunehmendem Alter steigen die Chancen, an bestimmten Prostataerkrankungen zu erkranken. Während einige dieser Störungen geringfügig sind und schnell behoben werden, können andere schwerwiegender sein und einen medizinischen Eingriff erfordern. Das Verständnis dieser weit verbreiteten Krankheiten sensibilisiert Männer für mögliche Symptome und die Bedeutung einer Früherkennung und Behandlung.

Die gutartige Prostatahyperplasie (BPH) ist eine häufige Prostataerkrankung, vor allem bei älteren Männern. BPH ist

eine Vergrößerung der Prostata, die aufgrund ihrer Nähe zur Harnröhre eine Vielzahl von Harnwegsbeschwerden hervorrufen kann. Wenn die Prostata wächst, kann sie gegen die Harnröhre drücken, wodurch die Passage von

Urin und verursacht eine Vielzahl von schmerzhaften Symptomen.

Bei Männern mit BPH kann Folgendes auftreten: -

Schwierigkeiten beim Wasserlassen - Schwacher Urinstrahl oder Tröpfeln am Ende des Wasserlassens - Häufiges Wasserlassen, besonders nachts (Nykturie) - Das Gefühl, dass sich die Blase nach dem Wasserlassen nicht vollständig entleert hat - Dringender Harndrang, auch wenn er nicht voll ist.

BPH ist nicht bösartig. Es kann jedoch zu erheblichen Beschwerden und einer geringeren Lebensqualität führen. Unbehandelte BPH kann Probleme wie Harnverhalt (Unfähigkeit, die Blase vollständig zu entleeren), Blasenentzündungen und Nierenschäden verursachen. Glücklicherweise gibt es eine Vielzahl von Behandlungen zur Behandlung von BPH, die von Änderungen des Lebensstils und Medikamenten bis hin zu minimalinvasiven Operationen reichen, um das Prostatawachstum zu reduzieren.

Prostatitis ist eine Entzündung der Prostata, die je nach

Ätiologie und Schweregrad unterschiedliche Symptome hervorrufen kann. Es gibt verschiedene Formen der Prostatitis, jede mit einzigartigen Eigenschaften:

- **Akute bakterielle Prostatitis** wird durch eine bakterielle Infektion verursacht und beginnt in der Regel plötzlich. Zu den Symptomen gehören Fieber, Schüttelfrost, Schwierigkeiten beim Wasserlassen und Schmerzen im Becken- oder unteren Rückenbereich. Diese Art von Prostatitis ist gefährlich und erfordert einen sofortigen medizinischen Eingriff, häufig mit Antibiotika.

- **Die chronische bakterielle Prostatitis** ist identisch mit der akuten Variante, schreitet aber langsamer voran und dauert länger. Bei Männern mit chronischer bakterieller Prostatitis kann es zu wiederkehrenden Harnwegsinfektionen (HWI) und anhaltenden Beckenbeschwerden kommen.

Die chronische Prostatitis/das chronische Beckenschmerzsyndrom (CP/CPPS) ist die häufigste Form der Prostatitis, es gibt jedoch keine bakterielle Infektion. Es kann chronische Beckenschmerzen, Schwierigkeiten beim Wasserlassen und andere Harnwegssymptome verursachen. Die tatsächliche Ätiologie von CP/CPPS ist unbekannt; Es kann jedoch auch an Entzündungen, Nervenstörungen oder Stress liegen.

- **Asymptomatische entzündliche Prostatitis** ist eine Erkrankung, bei der es Indikatoren für die Prostata gibt

Entzündungen (z. B. das Vorhandensein weißer Blutkörperchen), aber keine offensichtlichen Symptome. Es wird häufig bei Tests auf andere Erkrankungen identifiziert.

Prostatitis kann Männer jeden Alters betreffen, ist jedoch am häufigsten bei jungen Männern und Männern mittleren Alters. Die Behandlung variiert je nach Typ, kann aber Antibiotika, entzündungshemmende Medikamente und Änderungen des Lebensstils wie Stressabbau und mehr Flüssigkeitszufuhr umfassen.

Prostatakrebs Prostatakrebs

Ist die schwerste Prostataerkrankung und eine der häufigsten Krebsarten bei Männern. Sie entsteht, wenn aberrante Zellen in der Prostata unkontrolliert zu wachsen beginnen, was zu einem Tumor führt. Prostatakrebs kann langsam fortschreiten, und viele Männer zeigen im Frühstadium keine Symptome.

Wenn Symptome auftreten, können sie sein:

Zu den Symptomen können Startschwierigkeiten gehören oder Stoppen des Wasserlassens, schwacher oder unterbrochener Harnstrahl, häufiges Wasserlassen (besonders nachts), Blut im Urin oder Sperma und schmerzhafte Ejakulation.

- Schmerzen oder Beschwerden im Becken, im unteren Rücken oder in der Hüfte.

Die Früherkennung von Prostatakrebs ist entscheidend für eine erfolgreiche Therapie. Screening-Diagnostika wie der **Prostata-spezifische Antigen-Test (PSA)** und die **digitale rektale Untersuchung (DRE)** werden häufig eingesetzt, um Prostatakrebs im Frühstadium zu erkennen. Erhöhte PSA-Werte im Blut können auf das Vorhandensein von Prostatakrebs hindeuten, aber auch durch andere Krankheiten wie BPH oder Prostatitis verursacht werden.

Prostatakrebs wächst in der Regel langsam, und viele Männer mit Prostatakrebs im Frühstadium können sich für eine aktive Überwachung entscheiden, bei der die Krankheit kontinuierlich überwacht wird, ohne sie sofort zu behandeln. Diese Methode ist beliebt bei Männern mit Prostatakrebs mit niedrigem Risiko, der sich wahrscheinlich nicht ausbreiten wird. In schwereren Fällen können die Behandlungsoptionen eine Operation umfassen,

Strahlentherapie, Hormontherapie oder Chemotherapie.

Harnwegssymptome und Bedenken.

Da die Prostata einen Teil der Harnröhre umgibt, sind Harnwegsbeschwerden häufig der erste Hinweis darauf, dass etwas mit der Prostata nicht stimmt. Unabhängig davon, ob der Grund BPH, Prostatitis oder Krebs ist, kann eine Einschränkung des Harnflusses zu verschiedenen Harnwegserkrankungen führen, die das tägliche Leben stören. Männer, bei denen Harnwegssymptome wie häufiges Wasserlassen, Schwierigkeiten beim Starten oder Stoppen des Wasserlassens oder Schmerzen beim Pinkeln auftreten, sollten einen Arzt aufsuchen, um schwerwiegende Krankheiten auszuschließen und Behandlungsmöglichkeiten zu besprechen.

Risikofaktoren für Prostataerkrankungen:

Bestimmte Risikofaktoren erhöhen die Möglichkeit von Prostataproblemen. Während einige Risikofaktoren, wie Alter und Familienanamnese, außerhalb der Kontrolle von Männern liegen,

Sie zu verstehen, kann ihnen helfen, über ihre Gesundheit informiert zu bleiben und vorbeugende Maßnahmen zu ergreifen.

- **Alter:** Wenn Männer älter werden, ist es wahrscheinlicher, dass sie BPH, Prostatitis und Prostatakrebs entwickeln. Männer über 50 Jahre sind anfälliger für Prostataprobleme. Daher werden regelmäßige Screenings mit zunehmendem Alter immer wichtiger.

- **Familienanamnese:** Männer, die in der Familie an Prostatakrebs oder anderen Prostataproblemen erkrankt sind, haben ein erhöhtes Risiko. Wenn der Vater oder die Geschwister eines Mannes an Prostatakrebs erkrankt sind, steigt die Wahrscheinlichkeit, dass er an Prostatakrebs erkrankt.

- **Ethnische Zugehörigkeit:** Afroamerikanische Männer erkranken häufiger an Prostatakrebs und werden erst in einem späten Stadium erkannt. Sie sterben auch häufiger an der Krankheit als Männer anderer Ethnien.

- **Lebensstilfaktoren:** Ernährung, Bewegung und die allgemeine Gesundheit können sich auf das Risiko einer Prostataerkrankung auswirken. Eine obst- und gemüsereiche Ernährung, häufige körperliche

Aktivität und das Halten eines gesunden Gewichts tragen zu einer geringeren Inzidenz von Prostataproblemen bei. Darüber hinaus wurden Rauchen und übermäßiger

Alkoholkonsum mit einem erhöhten Risiko für Prostatakrebs

in Verbindung gebracht.

Präventivmaßnahmen

Obwohl nicht alle Prostataerkrankungen verhindert werden können, können Männer die folgenden Schritte unternehmen, um ihr Risiko zu senken und ihre allgemeine Prostatagesundheit zu verbessern:

- **Regelmäßige Vorsorgeuntersuchungen:** Die Früherkennung ist entscheidend für die Kontrolle von Prostataerkrankungen, insbesondere Prostatakrebs. Basierend auf Alter, Familienanamnese und Risikofaktoren sollten Männer sich mit ihrem Arzt darüber beraten, wann sie mit häufigen PSA- und DRE-Tests beginnen sollten.

- **Eine gesunde Ernährung:** Eine Ernährung mit viel Obst, Gemüse und Vollkornprodukten kann helfen, Prostataprobleme zu verhindern. Einige Studien deuten darauf hin, dass Diäten

Stark in Antioxidantien wie Tomaten (die Lycopin enthalten) und Kreuzblütlern wie Brokkoli können die Inzidenz von Prostatakrebs verringern.

- **Bleiben Sie aktiv:** Regelmäßige Bewegung wirkt sich positiv auf die allgemeine Gesundheit aus und kann die

Wahrscheinlichkeit von Prostataproblemen verringern. Wenn Sie körperlich aktiv bleiben, können Sie ein gesundes Gewicht halten, was Ihr Risiko für BPH und Prostatakrebs senkt.

- Reduzieren Sie den Alkoholkonsum und vermeiden Sie das Rauchen: Die Reduzierung des Alkoholkonsums und die Raucherentwöhnung können dazu beitragen, die Gesundheit der Prostata zu verbessern und das Risiko für Prostatakrebs zu senken. Diese Anpassungen des Lebensstils können auch das allgemeine Wohlbefinden steigern und das Risiko anderer Gesundheitsprobleme senken.

Das Verständnis der am weitesten verbreiteten Prostataerkrankungen und -probleme ermöglicht es Männern, proaktive Schritte in Richtung einer besseren Gesundheit zu unternehmen. Von BPH über Prostatitis bis hin zu Prostatakrebs ermöglicht das Verständnis dieser Erkrankungen eine frühzeitige Entdeckung und eine effektivere Behandlung, was zu besseren Ergebnissen und einer höheren

Lebensqualität. Regelmäßige Untersuchungen, ein gesunder Lebensstil und Aufklärung sind wesentliche Aspekte der Prostataversorgung, die jeder Mann beachten sollte.

Die Erhaltung der Prostatagesundheit ist für Männer von entscheidender Bedeutung, insbesondere im Alter. Die Prostata ist sowohl für die Gesundheit der Harnwege als auch für die Fortpflanzungsgesundheit unerlässlich, und Maßnahmen zur Gesunderhaltung können dazu beitragen, häufige Probleme wie gutartige Prostatahyperplasie (BPH), Prostatitis und Prostatakrebs zu verhindern. Während einige Prostataprobleme durch Genetik und Alterung bestimmt werden, kann die Wahl des Lebensstils einen erheblichen Einfluss auf die langfristige Gesundheit der Prostata haben. Männer können ihr Risiko für Prostataprobleme senken und ihre allgemeine Gesundheit verbessern, indem sie bestimmte Verhaltensweisen und Aktivitäten annehmen.

1. Regelmäßige Gesundheitsuntersuchungen

Regelmäßige Vorsorgeuntersuchungen sind eine der wichtigsten Phasen, um Ihre Prostata gesund zu halten. Gesundheitsprobleme der Prostata, einschließlich

Prostatakrebs, zeigen häufig erst in späten Stadien Symptome.

Eine frühzeitige Erkennung ist für eine wirksame Behandlung von entscheidender Bedeutung, und regelmäßige Vorsorgeuntersuchungen ermöglichen es Gesundheitsdienstleistern, Probleme zu erkennen, bevor sie sich verschlimmern.

Der Prostata-spezifische Antigen (PSA)-Test und die digitale rektale Untersuchung (DRE) sind zwei häufig verwendete Screening-Verfahren. Der PSA-Test analysiert den PSA-Spiegel im Blut, der bei Männern mit Prostatakrebs, BPH oder Prostatitis erhöht sein kann. Bei der DRE untersucht ein Arzt die Prostata physisch auf Anomalien.

Männer über 50 Jahre oder Männer mit signifikanteren Risikofaktoren (wie Prostatakrebs in der Familie oder afroamerikanische Abstammung) sollten sich mit ihrem Arzt darüber beraten, ob sie mit häufigen Tests beginnen sollten. Anomalien frühzeitig erkennen

kann die Ergebnisse insbesondere bei Prostatakrebs erheblich verbessern.

2. Aufrechterhaltung einer ausgewogenen Ernährung

Eine gesunde Ernährung ist ein weiterer wesentlicher Bestandteil der Prostatagesundheit. Bestimmte Lebensmittel und Nährstoffe wurden mit einer verbesserten Prostatafunktion in Verbindung gebracht, und eine Ernährung, die reich an vollwertigen, pflanzlichen Lebensmitteln ist, kann lebenswichtige Elemente liefern, die die allgemeine Gesundheit fördern.

- Obst und Gemüse: Obst- und Gemüsereiche, hauptsächlich solche mit hohem Gehalt an Antioxidantien, sind gut für Ihre Prostata. Lycopin, ein starkes Antioxidans in Tomaten, wurde auf seine möglichen Vorteile gegen Prostatakrebs untersucht. Andere Lebensmittel wie Blattgemüse, Beeren und Kreuzblütler wie Brokkoli können helfen, Entzündungen und das Risiko von Prostataproblemen zu reduzieren.

Gesunde Fette: Omega-3-Fettsäuren: Omega-3-Fettsäuren, die in Meeresfrüchten wie

Es hat sich gezeigt, dass Lachs und Sardinen die allgemeine Gesundheit verbessern und Entzündungen im Körper verringern können, die für die Gesundheit der Prostata unerlässlich sind. Das Ersetzen schädlicher Fette (wie sie in verarbeiteten Lebensmitteln enthalten sind) durch Omega-3-

Quellen ist eine hervorragende Möglichkeit, Ihre Ernährung zu verbessern.

- Vollkornprodukte und Ballaststoffe: Der Verzehr von Vollkornprodukten wie braunem Reis, Quinoa und Hafer

kann die Verdauung und die allgemeine Gesundheit verbessern. Ballaststoffreiche Lebensmittel wurden auch mit einem geringeren Risiko für Krebs und andere chronische Krankheiten in Verbindung gebracht, was sie zu einem wesentlichen Bestandteil jeder prostatagesunden Ernährung macht.

- Begrenzen Sie verarbeitete Lebensmittel: Verarbeitetes und rotes Fleisch sowie fettreiche Milchprodukte können das Risiko für Prostataerkrankungen, einschließlich Krebs, erhöhen. Es wird empfohlen, die Aufnahme dieser Produkte zu reduzieren und gleichzeitig den Konsum von pflanzlichen Lebensmitteln zu erhöhen, um die Gesundheit der Prostata und des gesamten Lebens zu verbessern.

3. Körperlich aktiv bleiben

Regelmäßige körperliche Aktivität ist für die Erhaltung der Prostatagesundheit und des allgemeinen Wohlbefindens von entscheidender Bedeutung. Bewegung kann bei der Gewichtskontrolle, der Reduzierung von Entzündungen und dem Hormonhaushalt helfen, was alles zu einem geringeren Risiko für Prostataerkrankungen beiträgt.

Überschüssiges Körperfett, insbesondere im Bauch, wurde mit einem erhöhten Risiko für Prostatakrebs und BPH in Verbindung gebracht. Aktiv zu bleiben hilft bei der Gewichtskontrolle und der Aufrechterhaltung eines gesunden Hormonspiegels wie Testosteron und Insulin, die beide für die Gesundheit der Prostata von Vorteil sind.

Bewegung muss nicht anstrengend sein, um effektiv zu sein. Gehen, Schwimmen, Radfahren und sogar Yoga können helfen, die Durchblutung, die Stimmung und die Gesundheit der Prostata zu verbessern. Regelmäßige körperliche Aktivität kann auch bei der Blasenkontrolle helfen und die Wahrscheinlichkeit von Harnwegssymptomen im Zusammenhang mit BPH verringern.

4. Flüssigkeitszufuhr und Blasenmanagement

Eine ausreichende Flüssigkeitszufuhr ist für die Gesundheit der Harnwege und der Prostata von entscheidender

Bedeutung. Ausreichend Wasser hilft, die Harnwege zu spülen, das Infektionsrisiko zu senken und die normale Blasenfunktion aufrechtzuerhalten. Männer sollten den ganzen Tag über viel Wasser trinken und Kaffee und Alkohol vermeiden, da dies die Blase reizen und die Harnwegsbeschwerden verschlimmern kann.

Männer, die häufig urinieren, vor allem nachts, können davon profitieren, ihre Gewohnheiten bei der Flüssigkeitsaufnahme zu ändern. Zum Beispiel kann das Trinken der meisten Flüssigkeiten früher am Tag und die Begrenzung der Aufnahme am Abend bei der Behandlung von Nykturie (dem Wunsch, nachts häufig zu urinieren) helfen. Dies kann die Schlafqualität verbessern und gleichzeitig BPH-bedingte Beschwerden reduzieren.

5. Stressbewältigung

Chronischer Stress wirkt sich nachteilig auf viele Facetten der Gesundheit aus, einschließlich der Prostatafunktion. Bei ständigem Stress bildet der Körper mehr Cortisol, ein Hormon, das Entzündungen fördern und die normalen Körperfunktionen beeinträchtigen kann. Anhaltender Stress wurde sowohl mit Prostatitis als auch mit Harnwegsbeschwerden in Verbindung gebracht.

Wenn Sie stressabbauende Aktivitäten in Ihren Alltag integrieren, wird die Gesundheit der Prostata verbessert. Tiefes Atmen, Meditation, Achtsamkeit und regelmäßige Bewegung können helfen, Stress abzubauen und das allgemeine Wohlbefinden zu verbessern. Männer, die richtig

mit Stress umgehen, können eine Verbesserung ihrer

Schlafqualität, ihrer Emotionen und ihrer allgemeinen körperlichen Gesundheit feststellen.

6. Mit dem Rauchen aufhören und den Alkoholkonsum einschränken

Rauchen wurde mit einem erhöhten Risiko für Prostatakrebs und einer schlechten Prognose für Männer, bei denen die Krankheit diagnostiziert wird, in Verbindung gebracht. Rauchen kann auch die Wahrscheinlichkeit erhöhen, an anderen Gesundheitsproblemen wie Herzerkrankungen und Atemwegserkrankungen zu erkranken, was die allgemeine Gesundheit und die Prostatagesundheit erschwert.

damit verbundenen Rückforderung.

Männer, die rauchen, werden ermutigt, mit dem Rauchen aufzuhören, da dies nicht nur der Gesundheit der Prostata, sondern auch der allgemeinen Gesundheit und Langlebigkeit zugute kommt. Es wird auch empfohlen, den Alkoholkonsum einzuschränken. Während mäßiger Alkoholkonsum nur geringe Auswirkungen auf die Gesundheit der Prostata haben kann, kann übermäßiger Alkoholkonsum Blasenreizungen, Dehydrierung und ein erhöhtes Risiko für eine Vielzahl von Gesundheitsproblemen, einschließlich Prostataproblemen, verursachen.

7. Umgang mit sexueller Gesundheit

Sexuelle Aktivität kann die Gesundheit der Prostata beeinträchtigen. Einige Studien deuten darauf hin, dass eine regelmäßige Ejakulation dazu beitragen kann, die Inzidenz von Prostatakrebs zu verringern, möglicherweise durch den Ausfluss von Substanzen, die zur Krankheit beitragen. Die Aufrechterhaltung eines gesunden sexuellen Lebensstils sowie eine offene Kommunikation mit Ärzten über sexuelle Gesundheitsprobleme sind entscheidend für die allgemeine Gesundheit der Prostata.

Es ist auch wichtig, auf Anzeichen sexueller Dysfunktion zu achten, die manchmal auf zugrunde liegende Prostataprobleme hindeuten können. Prostataerkrankungen können Probleme wie schmerzhafte Ejakulation oder Veränderungen der sexuellen Funktion verursachen, und die frühzeitige Behandlung dieser Symptome kann zu einer wirksameren Behandlung führen.

8. Einnahme von Nahrungsergänzungsmitteln

Während eine ausgewogene Ernährung immer die erste Verteidigungslinie bei der Förderung der Prostatagesundheit sein sollte, können sich einige Männer dafür entscheiden, Nahrungsergänzungsmittel zu ihrem Programm

hinzuzufügen. Bestimmte Nahrungsergänzungsmittel, darunter **Sägepalme, Zink und Selen,** wurden auf ihre möglichen Vorteile untersucht.

Bevor Sie mit der Einnahme von Nahrungsergänzungsmitteln beginnen, wenden Sie sich an einen Gesundheitsexperten, um sicherzustellen, dass sie sicher und für Ihre gesundheitlichen Bedürfnisse geeignet sind. Nahrungsergänzungsmittel können mit Medikamenten interagieren und Nebenwirkungen haben, daher ist eine fachkundige Beratung erforderlich.

9. Regelmäßige Kommunikation mit Gesundheitsdienstleistern.

Der offene Kontakt mit Ärzten ist entscheidend für die Aufrechterhaltung der Gesundheit der Prostata. Männer sollten keine Angst davor haben, Harnwegs- oder Fortpflanzungssymptome, die sie erleben, mitzuteilen, da eine frühzeitige Aufmerksamkeit dazu beitragen kann, größere Probleme auf der ganzen Linie zu vermeiden.

Gesundheitsdienstleister können je nach Alter eines Mannes, seiner Familienanamnese und seinem allgemeinen Gesundheitszustand individuelle Vorschläge machen. Regelmäßige Untersuchungen und Vorsorgeuntersuchungen, kombiniert mit einem proaktiven Ansatz bei der Prostataversorgung, sind die effektivsten Ansätze, um die

Gesundheit langfristig zu erhalten und Prostataprobleme zu vermeiden.

Männer, die eine aktive Rolle für ihre Gesundheit übernehmen, können eine gesunde Prostata erhalten und ihr Risiko senken, an häufigen Krankheiten zu erkranken, die mit dem Alter auftreten. Regelmäßige Tests, eine ausgewogene Ernährung, körperliche Aktivität und Stressbewältigung sind einige der besten Möglichkeiten, um eine gesunde Prostata zu erhalten.

Die Gesundheit der Prostata ist für das allgemeine Wohlbefinden von Männern unerlässlich, insbesondere wenn sie älter werden. Prostataprobleme wie gutartige Prostatahyperplasie (BPH), Prostatitis und Prostatakrebs treten mit zunehmendem Alter immer häufiger auf. Die Früherkennung ist im Allgemeinen entscheidend für eine erfolgreiche Behandlung dieser Störungen. Das Screening auf

Prostatabeschwerden ist ein wesentliches Instrument, um

Probleme frühzeitig zu erkennen, bevor sie zu größeren gesundheitlichen Problemen werden. Männer können proaktive Maßnahmen ergreifen, um ihre Prostatagesundheit zu überprüfen und mögliche Probleme frühzeitig zu entdecken, wenn sie am besten behandelbar sind.

Die Bedeutung der Früherkennung

Die Prostata ist eine winzige Drüse unter der Blase, die einen Teil der Harnröhre umgibt. Jede Veränderung seiner Größe oder Funktion kann sowohl die Harnwege als auch die

Fortpflanzungsgesundheit. Erkrankungen wie BPH und Prostatakrebs können sich langsam entwickeln, und die Symptome treten möglicherweise erst auf, wenn die Krankheit ausreichend fortgeschritten ist. Die frühzeitige Erkennung durch Screening ermöglicht es Gesundheitsdienstleistern, Anomalien früher zu erkennen, was die Wahrscheinlichkeit einer wirksamen Behandlung erhöht und die Folgen verringert.

Vor allem Prostatakrebs ist eine der häufigsten bösartigen Erkrankungen bei Männern und zeigt im Frühstadium häufig keine oder nur geringe Symptome. Aus diesem Grund sind regelmäßige Screenings notwendig. Männer, die ein Screening erhalten, erkennen mit größerer Wahrscheinlichkeit Krebs oder andere Prostataerkrankungen, wenn sie noch behandelbar sind, was ihre Gesamtprognose erhöht und die Wahrscheinlichkeit späterer aggressiverer Behandlungsoptionen verringert.

Vorgeschlagene Screening-Methoden

Es gibt zwei grundlegende Methoden zur Untersuchung der Prostatagesundheit:

den **Prostata-spezifischen Antigen (PSA)-Test** und die

digitale rektale Untersuchung (DRE). Jeder dieser Tests trägt zur Früherkennung potenzieller Probleme bei, wird aber häufig zusammen für eine gründlichere Bewertung verwendet.

Prostataspezifischer Antigen (PSA)-Test: Der PSA-Test bestimmt die Konzentration von PSA, einem von der Prostata produzierten Protein, im Blut eines Mannes. PSA-Werte, die über dem Normalwert liegen, können auf Prostatakrebs hindeuten, obwohl sie auch durch BPH oder Prostatitis verursacht werden können. Der PSA-Test ist ein grundlegender Bluttest, der anzeigt, ob eine zusätzliche Untersuchung erforderlich ist.

Ein hoher PSA-Wert kann auf Krebs hinweisen, obwohl dies kein schlüssiger Beweis ist. Der PSA-Spiegel kann sich aus einer Vielzahl von Gründen ändern, einschließlich Infektionen und kürzlicher sexueller Aktivität. Infolgedessen verwenden Ärzte häufig PSA-Werte in Verbindung mit anderen Tests oder verfolgen PSA-Schwankungen im Laufe der Zeit, um festzustellen, ob zusätzliche Tests gerechtfertigt sind.

- **Digitale rektale Untersuchung (DRE):** Eine DRE ist eine körperliche Untersuchung, bei der ein Arzt einen behandschuhten Finger in das Rektum einführt, um die Prostata zu ertasten. Dies ermöglicht es dem Arzt, nach

Anomalien zu suchen, einschließlich Klumpen, harten Stellen oder Größenveränderungen. Obwohl die DRE schmerzhaft sein kann, ist sie eine schnelle und effektive Methode, um körperliche Veränderungen in der Prostata zu erkennen, die ein PSA-Test möglicherweise nicht aufdeckt.

Die Kombination des PSA-Tests mit der DRE ermöglicht eine umfassendere Beurteilung der Prostatagesundheit. Der PSA-Test untersucht mögliche biochemische Veränderungen in der Prostata, während der DRE körperliche Anomalien erkennt, die eine weitere Untersuchung rechtfertigen können.

Wann sollte mit dem Screening begonnen werden?

Wann mit dem Prostata-Screening begonnen werden soll, hängt von mehreren Kriterien ab, darunter das Alter eines Mannes, die Familienanamnese und der allgemeine Gesundheitszustand. In der Regel sollten Männer damit beginnen

eine Prostatauntersuchung mit dem Arzt um das 50. Lebensjahr in Betracht ziehen. Männer mit signifikanteren Risikofaktoren, wie z. B. Prostatakrebs in der Familie oder afroamerikanischer Herkunft, sollten früher mit den Tests beginnen, in der Regel im Alter von etwa 45 Jahren.

Männer ohne familiäre Vorgeschichte oder andere Risikofaktoren können später mit dem Screening beginnen, jedoch nur nach Rücksprache mit einem Gesundheitsdienstleister. Einige Richtlinien implizieren, dass Männer über 70 Jahre möglicherweise kein routinemäßiges PSA-Screening mehr benötigen, es sei denn, sie haben ein höheres Risiko oder haben Symptome. Der Zeitpunkt und die Häufigkeit von Tests sollten immer durch individuelle Risikofaktoren und den Rat des Arztes bestimmt werden.

Risiken und Vorteile des Prostata-Screenings

Das Prostata-Screening hat, wie jede andere medizinische Praxis, Vorteile und Gefahren. Einer der wichtigsten Vorteile

ist die Möglichkeit, Prostatakrebs zu entdecken

oder andere Anomalien zu einem frühen Zeitpunkt, an dem die Behandlungsentscheidungen mit größerer Wahrscheinlichkeit wirksam und minimal aufdringlich sind. Eine frühzeitige Erkennung kann die Prognose eines Mannes verbessern und den Bedarf an invasiven Behandlungen wie umfangreichen Operationen oder Bestrahlungen verringern.

Das Screening erhöht jedoch das Risiko einer Überdiagnose.

Einige Prostatatumoren schreiten so langsam voran, dass sie möglicherweise nie Symptome verursachen oder die Lebenserwartung eines Mannes verringern. In vielen Fällen kann eine Intensivtherapie unnötige Nebenwirkungen wie Urininkontinenz oder erektile Dysfunktion verursachen und bietet nur wenige gesundheitliche Vorteile. Männer sollten offene Gespräche mit ihrem Arzt über die potenziellen Gefahren und Vorteile des Prostata-Screenings führen, um fundierte Entscheidungen treffen zu können.

Überwachung von Änderungen und Nachverfolgung

Wenn die Befunde des Prostata-Screenings abnormal sind, sind möglicherweise weitere Tests erforderlich, um das Vorhandensein von

Prostatakrebs oder andere Probleme. In vielen Fällen bedeutet ein erhöhter PSA-Wert oder eine abnormale DRE nicht, dass ein Mann Krebs hat. Zusätzliche Tests, wie z. B. eine Prostatabiopsie oder bildgebende Untersuchungen, können dabei helfen, festzustellen, ob Krebs existiert und wie aggressiv er ist.

Bei Männern mit mäßig hohen PSA-Werten oder geringfügigen

Prostataveränderungen können Ärzte eine aktive Überwachung empfehlen. Diese Strategie beinhaltet eine genaue Überwachung der Prostata mit regelmäßigen PSA-Tests und DREs, während die Therapie verschoben wird, bis sich die Situation verschlechtert. Die aktive Überwachung ermöglicht es Männern, unnötige Behandlungen zu vermeiden und gleichzeitig ihre Prostatagesundheit zu überwachen.

Kontrolle über die Gesundheit der Prostata erlangen

Regelmäßige Vorsorgeuntersuchungen sind für die Erhaltung der Prostatagesundheit unerlässlich, insbesondere im Alter von Männern. Männer können ihre Gesundheit selbst in die Hand nehmen, indem sie Screening-Protokolle befolgen und sich über die verfügbaren Optionen informieren. Es ist

Es ist wichtig, den Austausch mit Gesundheitsdienstleistern über das Prostata-Screening aufrechtzuerhalten, insbesondere für Patienten mit Hochrisikofaktoren. Die Früherkennung, wenn sie von einer gesunden Lebensweise begleitet wird, kann eine wesentliche Rolle bei der langfristigen Erhaltung der Prostatagesundheit spielen.

KAPITEL 2: ALTER UND PROSTATAGESUNDHEIT

- NATÜRLICHE VERÄNDERUNGEN DER PROSTATA MIT ZUNEHMENDEM ALTER

Mit zunehmendem Alter durchläuft die Prostata eine Reihe von Veränderungen, die sowohl natürlich als auch unvermeidlich sind. Diese Veränderungen können sich auf die Harn- und Fortpflanzungsgesundheit eines Mannes auswirken, wobei einige bei bestimmten Personen stärker ausgeprägt sind. Das Verständnis dieser natürlichen Anpassungen kann Männern helfen, zukünftige Probleme zu antizipieren und proaktive Maßnahmen zum Schutz ihrer Gesundheit zu ergreifen.

Die Funktion und Anatomie der Prostata

Bei jüngeren Männern ist die Prostata etwa so groß wie eine

Walnuss und spielt eine wesentliche Rolle für die reproduktive Gesundheit. Er befindet sich etwas unterhalb des

Blase und umgibt die Harnröhre, die Röhre, über die der Urin den Körper verlässt. Die Hauptaufgabe der Prostata besteht darin, Samenflüssigkeit zu erzeugen, die die Spermien nährt und schützt. Diese Flüssigkeit verbindet sich während der Ejakulation mit den Spermien, was eine angemessene Beweglichkeit erleichtert und die Empfängnis erhöht. Mit zunehmendem Alter verändern sich jedoch die Größe und Funktion der Prostata, was sowohl auf das Harn- als auch auf das Fortpflanzungssystem erhebliche Auswirkungen haben kann.

Vergrößerung der Prostata

Eine der typischsten Veränderungen, die Männer mit zunehmendem Alter durchlaufen, ist die allmähliche Ausdehnung ihrer Prostata, die oft als **gutartige Prostatahyperplasie (BPH) bezeichnet wird.** Dieses nicht krebsartige Wachstum entwickelt sich in der Regel nach dem 40. Lebensjahr und schreitet fort, wenn Männer in die 50er und 60er Jahre kommen. Es wird erwartet, dass bis zum Alter von 60 Jahren mehr als die Hälfte der Männer eine Form von BPH haben wird, und bis zum Alter von 85 Jahren werden über 90 % eine Prostatavergrößerung haben.

Wenn die Prostata wächst, kann sie gegen die Harnröhre drücken und den normalen Urinfluss verhindern. Dies erklärt, warum viele Männer mit BPH Veränderungen in ihrem Urinmuster haben.

Häufige Symptome einer vergrößerten Prostata sind:

- Schwierigkeiten beim Wasserlassen.

- Ein schwacher oder intermittierender Harnstrahl.

- Häufiges Wasserlassen, besonders nachts (Nykturie).

- Das Gefühl, dass sich die Blase nach dem Pinkeln nicht vollständig entleert hat.

BPH ist keine lebensbedrohliche Erkrankung, kann aber einen erheblichen Einfluss auf die Lebensqualität haben. In anderen Situationen kann eine unbehandelte BPH schwerwiegendere Folgen haben, wie z. B. Harnverhalt (die Unfähigkeit, die Blase vollständig zu entleeren), Blasenentzündungen oder sogar Nierenschäden.

Hormonelle Veränderungen & Prostatawachstum

Altersbedingte hormonelle Veränderungen wirken sich erheblich auf

Prostata-Hypertrophie. Während des gesamten Lebens eines Mannes produziert der Körper Testosteron, das wichtigste männliche Hormon. Ein Teil dieses Testosterons wird in ein stärkeres Hormon umgewandelt, das als **Dihydrotestosteron (DHT) bekannt ist** und das Prostatawachstum während der Jugend und im jungen Erwachsenenalter erhöht.

Ihr Testosteronspiegel nimmt mit zunehmendem Alter der Männer ab, aber ihr DHT-Spiegel bleibt konstant. Dieses Testosteron-DHT-Ungleichgewicht trägt wahrscheinlich zur weiteren Entwicklung der Prostata in späteren Jahren bei. Darüber hinaus kann die Senkung des Testosteronspiegels andere Veränderungen verursachen, wie z. B. einen Rückgang der Libido und der Energie.

Altersbedingte hormonelle Veränderungen wirken sich nicht nur auf die Größe der Prostata aus, sondern können auch zur Entwicklung von Prostataerkrankungen wie BPH und unter bestimmten Umständen Krebs beitragen. Das Verständnis dieser hormonellen Veränderungen ist entscheidend für die Erhaltung der Prostatagesundheit im Alter.

Prostatakrebsrisiko und Alter

Das Alter ist ein wesentlicher Risikofaktor für **Prostatakrebs.** Während jüngere Männer an dieser Krankheit erkranken können, steigt das Risiko ab dem 50. Lebensjahr deutlich an. Prostatakrebs entwickelt sich in der Regel langsam, und viele Männer zeigen im Frühstadium keine Symptome. Aus diesem Grund wird ein regelmäßiges Screening mit zunehmendem Alter immer wichtiger.

Es gibt verschiedene Gründe, warum das Alter für die Entstehung von Prostatakrebs so wichtig ist. Im Laufe der Zeit können die Zellen in der Prostata genetische Veränderungen entwickeln, die zu einem Fehlwachstum führen. Während viele dieser Mutationen keinen Krebs verursachen, können einige dazu führen, dass Zellen unkontrolliert wachsen, was zu einem Tumor führt.

Es ist wichtig zu verstehen, dass nicht alle Prostatakrebsarten aggressiv sind. Tatsächlich schreiten viele Fälle von Prostatakrebs so langsam voran, dass sie möglicherweise nie ernsthaften Schaden anrichten. In schwereren Fällen kann sich der Krebs jedoch über die Prostata hinaus auf andere Teile des Körpers ausdehnen, einschließlich der Knochen und Lymphknoten. Früh

Die Erkennung durch Screenings wie PSA-Tests und digitale rektale Untersuchungen (DRE) ist entscheidend für eine erfolgreiche Behandlung von Prostatakrebs, insbesondere bei älteren Männern.

Veränderungen der Harnfunktion

Die Vergrößerung der Prostata mit zunehmendem Alter kann einen direkten Einfluss auf die Harnfunktion haben. Da die Prostata die Harnröhre umgibt, kann jede Vergrößerung Druck auf diese Röhre ausüben, was zu den häufig mit BPH verbundenen Symptomen führt. Bei Männern können auch die folgenden Urinsymptome auftreten:

- Harndrang, auch wenn die Blase nicht vollständig ist.

- Gefühl einer unvollständigen Blasenentleerung.

- Tröpfeln nach Urin.

- Schwierigkeiten, den Urinfluss zu stoppen und zu starten.

Diese Symptome können regelmäßige Aktivitäten beeinträchtigen und zu Irritationen und Unbehagen führen. An

Um mit diesen Empfindungen umzugehen, können Männer Aktivitäten vermeiden oder ihre Flüssigkeitsaufnahme reduzieren, was zu Dehydrierung und anderen gesundheitlichen Problemen führen kann.

Glücklicherweise gibt es verschiedene Möglichkeiten zur Behandlung von Harnwegsproblemen, die mit der Prostatavergrößerung verbunden sind. Medikamente, die die Muskeln der Prostata und der Blase entspannen, können den Urinfluss erhöhen, während andere die Prostatagröße reduzieren können. In schwereren Situationen gibt es chirurgische Alternativen, um den Druck auf die Harnröhre zu verringern und die normale Harnfunktion wiederherzustellen.

Sexuelle Funktion und Altern

Die sexuelle Funktion ist ein weiterer Bereich, in dem sich die Prostata mit zunehmendem Alter verändert. Mit zunehmendem Alter kann es zu Veränderungen der Libido,

der erektilen Funktion und der Ejakulation kommen. Mehrere Variablen können diese Veränderungen beeinflussen, darunter ein niedriger Testosteronspiegel, eine Prostatavergrößerung und andere altersbedingte Gesundheitsprobleme wie Herz-Kreislauf-Erkrankungen oder Diabetes.

BPH und ihre Therapien können sich möglicherweise auf die

sexuelle Funktion auswirken. Zum Beispiel können bestimmte Medikamente zur Prostatavergrößerung Nebenwirkungen wie verminderte Libido oder Schwierigkeiten haben, eine Erektion aufrechtzuerhalten. Darüber hinaus können Prostatakrebstherapien wie Operationen oder Strahlentherapien die sexuelle Funktion verändern, was zu erektiler Dysfunktion oder einer Abnahme der Spermienproduktion führt.

Während diese Veränderungen mit dem Altern üblich sind, können sie viele Männer verärgern. Ein offenes Gespräch mit Gesundheitsexperten ist entscheidend, um diese Bedenken zu bewältigen und die besten Behandlungen oder Therapien zur Verbesserung der sexuellen Gesundheit und Lebensqualität zu bestimmen.

Erhaltung der Gesundheit der Prostata im Alter

Obwohl Prostataveränderungen ein normaler Teil des Alterns sind, können Männer Maßnahmen ergreifen, um ihre Prostatagesundheit zu verbessern und die Symptome effektiv zu behandeln. Regelmäßige Kontrollen und Screenings sind von entscheidender Bedeutung, insbesondere bei

Männer über fünfzig. Prostataspezifische Antigentests (PSA) und digitale rektale Untersuchungen (DRE) können Probleme frühzeitig aufdecken, was eine schnellere Behandlung und bessere Ergebnisse ermöglicht.

Neben medizinischen Untersuchungen können auch Entscheidungen des Lebensstils die Gesundheit der Prostata erheblich beeinflussen. Eine ausgewogene Ernährung mit viel Obst, Gemüse und Vollkornprodukten kann das Auftreten von Prostataproblemen senken. Regelmäßige körperliche Aktivität und die Aufrechterhaltung eines gesunden Gewichts sind ebenfalls vorteilhaft für die allgemeine Gesundheit und können helfen, die Symptome einer Prostatavergrößerung zu behandeln.

Männer, die proaktiv und bewusst auf die Gesundheit der Prostata achten, können die natürlichen Veränderungen, die mit dem Alter auftreten, besser bewältigen und ihre Auswirkungen auf ihren Alltag begrenzen.

Prostatavergrößerung, auch gutartige Prostata genannt

Hyperplasie (BPH) ist eine häufige Krankheit, die viele Männer mit zunehmendem Alter entwickeln. BPH entwickelt sich, wenn die Prostata ausgedehnter wird, eine natürliche Erkrankung, die mit dem Alter verbunden ist. BPH ist zwar nicht bösartig und erhöht das Risiko für Prostatakrebs nicht, kann aber unangenehme Symptome hervorrufen, die die Urinfunktion und die allgemeine Lebensqualität beeinträchtigen. Der angemessene Umgang mit diesen Symptomen ist entscheidend, um sicherzustellen, dass Männer ihre täglichen Aktivitäten ohne Unterbrechung fortsetzen können.

Prostatavergrößerung und Symptome verstehen

Die Prostata ist eine winzige Drüse, die einen Teil der Harnröhre umgibt, die Röhre, die den Urin aus dem Körper transportiert. Mit zunehmendem Alter vergrößert sich die Prostata, drückt gegen die Harnröhre und verursacht eine

Vielzahl von Harnproblemen. **Häufige Symptome von BPH sind:**

- Schwierigkeiten beim Wasserlassen.

- Ein schwacher oder intermittierender Harnstrahl.

- Der Wunsch, häufig zu urinieren, insbesondere nachts (Nykturie)

- Das Gefühl, dass sich die Blase nicht vollständig entleert hat.

- Harndrang, auch wenn die Blase nicht vollständig ist.

- Tröpfeln nach Urin.

Diese Symptome treten auf, wenn die vergrößerte Prostata die Harnröhre zusammendrückt und den Urinfluss behindert. Im Laufe der Zeit können die Blasenmuskeln überlastet werden, wenn sie versuchen, Urin durch die engere Harnröhre zu drücken. Wenn dies nicht behandelt wird, kann dies zu Blasenbeschwerden und anderen Komplikationen führen.

Änderungen des Lebensstils zur Behandlung von BPH-Symptomen

Vielen Männern können einfache Änderungen des Lebensstils helfen, die Symptome einer Prostatavergrößerung zu kontrollieren.

Diese Techniken können Beschwerden lindern und den Urinfluss ohne medizinische Eingriffe erhöhen.

1. Flüssigkeitsmanagement:

Die Begrenzung der Flüssigkeitsaufnahme ist eine der einfachsten Strategien zur Behandlung von BPH-Symptomen. Die Reduzierung der Flüssigkeitsmenge, die abends eingenommen wird, kann dazu beitragen, das Verlangen nach nächtlichem Wasserlassen zu verringern und die Häufigkeit des Aufwachens zu verringern, um die Toilette zu benutzen. Es ist jedoch wichtig, während des Tages hydriert zu bleiben, um Dehydrierung zu vermeiden, die die Harnwegssymptome verschlimmern kann.

2. Koffein und Alkohol:

Sowohl Kaffee als auch Alkohol sind Diuretika, was bedeutet, dass sie die Urinproduktion erhöhen und die Blase reizen können. Die Reduzierung oder Eliminierung von koffeinhaltigen Getränken wie Kaffee, Tee und alkoholfreien Getränken sowie Alkohol kann die Dringlichkeit und Häufigkeit des Urins verringern und diese Symptome einfacher machen

zu verwalten.

3. Geplante Toilettenbesuche:

Das Festlegen eines Musters für Toilettenbesuche kann das Gefühl der Dringlichkeit minimieren und Unfälle vermeiden. Männer mit BPH können davon profitieren, regelmäßig auf die Toilette zu gehen, z. B. alle zwei bis drei Stunden, auch wenn sie keinen Harndrang verspüren.

4. Blasentraining:

Blasentraining bedeutet, das Intervall zwischen den Toilettenbesuchen schrittweise zu verlängern, um die Blasenkontrolle zu verbessern. Dies kann helfen, die Häufigkeit des Wasserlassens zu reduzieren, indem es deine Blase dazu anregt, über einen längeren Zeitraum Urin zu halten. Das Blasentraining sollte unter Aufsicht eines Arztes durchgeführt werden, da es im Laufe der Zeit schrittweise Veränderungen erfordert.

5. Halten Sie ein gesundes Gewicht:

Übergewicht, insbesondere im Bauchraum, kann den Druck auf die Blase erhöhen und die BPH-Symptome verschlimmern. Regelmäßige körperliche Aktivität und ein gesundes Gewicht können den Blasendruck senken und die Harnfunktion verbessern.

Medikamente zur Linderung der Symptome

Mehrere Medikamente können Männern helfen, deren Symptome schwerwiegender sind oder mit Anpassungen des Lebensstils nicht ausreichend behandelt werden können. Diese Medikamente wirken, indem sie die Muskeln um die Prostata entspannen oder die Prostata selbst verringern, was den Urinfluss verbessert und die Symptome lindert.

1. Alpha-Blocker:

Alpha-Blocker sind Medikamente, die die Muskeln der Prostata und des Blasenhalses entspannen und das Wasserlassen erleichtern. Diese Medikamente verschaffen sofortige Linderung und werden häufig als Erstlinienbehandlung für

BPH. Tamsulosin (Flomax), Alfuzosin (Uroxatral) und Terazosin (Hytrin) sind drei gängige Alpha-Blocker. Diese

Medikamente können bei den Symptomen helfen, aber sie schrumpfen die Prostata nicht.

2. 5-Alpha-Reduktase-Hemmer:

Diese Medikamente, zu denen Finasterid (Proscar) und Dutasterid (Avodart) gehören, reduzieren die Prostata

allmählich, indem sie das Hormon blockieren, das sie wachsen lässt. Sie werden häufig Männern mit großer Prostata verabreicht und es kann viele Monate dauern, bis sichtbare Ergebnisse erzielt werden. Im Gegensatz zu Alpha-Blockern zielen 5-Alpha-Reduktase-Hemmer auf die grundlegende Ursache der BPH ab, indem sie die Prostata verkleinern.

3. Kombinationstherapie:

Unter bestimmten Umständen können Ärzte eine Kombination aus Alpha-Blockern und 5-Alpha-Reduktase-Hemmern verschreiben. Diese Methode bietet sowohl sofortige Symptome

Linderung und langfristige Vorteile durch Senkung der Prostatagröße. Die Kombinationstherapie ist sehr vorteilhaft für Personen mit mittelschweren bis schweren BPH-Symptomen.

4. Phosphodiesterase-5 (PDE-5)-Hemmer:

Einige Medikamente gegen erektile Dysfunktion, wie z. B. Tadalafil (Cialis), wurden für die BPH-Behandlung zugelassen. Diese Medikamente helfen, die Prostata- und

Blasenmuskulatur zu entspannen, was zu einem verbesserten

Urinfluss führt. PDE-5-Hemmer können eine wirksame Behandlung für Männer sein, die sowohl BPH-Symptome als auch erektile Dysfunktion haben.

Minimalinvasive Verfahren

Wenn Medikamente und Änderungen des Lebensstils keine ausreichende Linderung bringen, können minimalinvasive Verfahren in Betracht gezogen werden. Diese Therapien versuchen, die Prostata zu verkleinern oder den Druck auf die Harnröhre zu verringern.

1. Transurethrale Resektion der Prostata (TURP).

TURP ist eines der am häufigsten verwendeten chirurgischen

Verfahren zur Behandlung von BPH. Bei der TURP führt ein Chirurg ein bestimmtes Instrument durch die Harnröhre ein, um einen Teil des geschwollenen Prostatagewebes zu entfernen. Diese Technik reduziert die durch eine vergrößerte Prostata verursachte Verstopfung und erhöht den Urinfluss. TURP ist im Allgemeinen wirksam, auch wenn es eine Erholungsphase geben kann.

2. Transurethrale Mikrowellentherapie (TUMT):

TUMT nutzt Mikrowellenenergie, um überschüssiges

Prostatagewebe zu erhitzen und zu beseitigen. Diese minimalinvasive Operation wird durch die Harnröhre durchgeführt und benötigt oft weniger Erholungszeit als TURP. TUMT kann eine praktikable Wahl für Männer mit moderaten Symptomen sein, die eine weniger invasive Behandlung wünschen.

3. Urolift-System:

Das Urolift-System ist eine moderne, weniger invasive Methode zur Behandlung von BPH. Winzige Implantate werden in die Prostata eingesetzt, um das geschwollene

Gewebe von der Harnröhre weg zu heben und zu halten, damit der Urin freier fließen kann. Diese Technik wird ohne Schneiden oder Entfernen von Gewebe durchgeführt und hat eine schnelle Erholungszeit.

Professionelle Hilfe suchen

Während Änderungen des Lebensstils und Medikamente bei der Behandlung von BPH-Symptomen helfen können, sollten Männer professionelle Hilfe in Anspruch nehmen, wenn sich ihre Symptome verschlimmern oder ihre Lebensqualität beeinträchtigen. Regelmäßige Kontrolluntersuchungen durch

eine medizinische Fachkraft ermöglichen eine frühzeitige Diagnose von Komplikationen, und Ärzte können die Behandlungsoptionen je nach Schwere der Erkrankung anpassen.

Unbehandelte BPH kann erhebliche Probleme verursachen, darunter Harnwegsinfektionen, Blasensteine und Nierenschäden. Männer, die Probleme haben

Wasserlassen, schmerzhaftes Wasserlassen oder Blut im Urin sollten sofort einen Arzt aufsuchen.

Die Symptome einer Prostatavergrößerung müssen proaktiv

behandelt werden, was Änderungen des Lebensstils, medikamentöse Behandlungen und regelmäßige Überwachung umfasst. Männer können ihre Gesundheit der Harnwege und der Prostata verbessern, indem sie die Symptome frühzeitig behandeln und Behandlungsalternativen in Betracht ziehen.

BEHANDLUNGSSTRATEGIEN FÜR HARNWEGSBESCHWERDEN

Mit zunehmendem Alter steigt die Wahrscheinlichkeit, dass Männer Harnwegssymptome im Zusammenhang mit der

Prostata erleiden, erheblich. Diese Symptome sind häufig mit einer gutartigen Prostatahyperplasie (BPH) verbunden, einer Erkrankung, bei der sich die Prostata vergrößert und gegen die Harnröhre drückt, was zu Schwierigkeiten beim Wasserlassen führt. Die Behandlung dieser Symptome ist entscheidend, um eine hohe Lebensqualität zu erhalten und schwerwiegendere

Konsequenzen. Glücklicherweise stehen verschiedene Therapieoptionen zur Verfügung, darunter Anpassungen des Lebensstils und medikamentöse Verfahren.

Änderungen des Lebensstils

Für viele Männer besteht der erste Schritt bei der Behandlung von Harnwegsproblemen, die durch eine vergrößerte Prostata verursacht werden, darin, ihr alltägliches Verhalten zu ändern. Diese Anpassungen können Beschwerden lindern und Männern helfen, die Kontrolle über ihre Urinfunktion wiederzuerlangen, ohne Medikamente oder Operationen zu benötigen.

Flüssigkeitsmanagement: Die Begrenzung des Flüssigkeitsverbrauchs, insbesondere abends, kann dazu beitragen, das häufige Wasserlassen um Mitternacht zu minimieren. Es ist wichtig, hydratisiert zu sein, aber die Einschränkung der Flüssigkeitszufuhr einige Stunden vor dem Schlafengehen hilft, Töpfchenausflüge während der Nacht zu reduzieren. Die Vermeidung von Diuretika wie Koffein und Alkohol kann auch dazu beitragen, den Harndrang und die Häufigkeit des Wasserlassens zu verringern.

Blasentraining: Die Erstellung eines Zeitplans für Toilettengänge kann helfen, den Notwendigkeit, regelmäßig zu urinieren, zu bewältigen. Durch die schrittweise Verlängerung der Zeit zwischen den Wasserlassen können Männer ihrer

Blase beibringen, mehr Urin zu halten, wodurch der Harndrang verringert wird. Dieser Ansatz, der als Blasentraining bekannt ist, kann die Blasenkontrolle nach und nach verbessern.

Gesundes Gewicht und körperliche Aktivität: Die Aufrechterhaltung eines gesunden Gewichts und körperliche Aktivität helfen, den Blasendruck zu reduzieren und die Urinfunktion zu verbessern. Regelmäßige Bewegung wirkt sich positiv auf die allgemeine Gesundheit aus und hilft, die Intensität der BPH-Symptome zu lindern.

Medikamente zur Linderung der Symptome

Arzneimittel können eine erhebliche Linderung bringen, wenn Änderungen des Lebensstils nicht ausreichen, um Harnwegsprobleme zu lindern. Verschiedene Arten von Medikamenten werden routinemäßig

verschrieben für Männer mit BPH, jeder mit einem einzigartigen Wirkmechanismus.

- Alpha-Blocker: Diese Medikamente entspannen die Prostata- und Blasenhalsmuskulatur und lassen den Urin freier fließen.

Alpha-Blocker sorgen für eine relativ schnelle Linderung, oft innerhalb weniger Tage oder Wochen. Tamsulosin (Flomax), Alfuzosin (Uroxatral) und Terazosin (Hytrin) sind einige der am häufigsten verschriebenen Alpha-Blocker. Sie sind besonders vorteilhaft für Männer mit leichten bis mittelschweren Harnproblemen.

- **5-Alpha-Reduktase-Hemmer:** Diese Medikamente, einschließlich Finasterid (Proscar) und Dutasterid (Avodart), schrumpfen die Prostata, indem sie die Umwandlung von Testosteron in Dihydrotestosteron (DHT) hemmen, ein Hormon, das das Prostatawachstum stimuliert. Im Gegensatz zu Alpha-Blockern brauchen diese Medikamente länger, um zu wirken, können aber wirksamer sein, um die Prostatagröße zu verringern und eine spätere Vergrößerung zu vermeiden.

- **Kombinationstherapie:** Unter bestimmten Umständen können Ärzte gleichzeitig Alpha-Blocker und 5-Alpha-Reduktase-Hemmer verschreiben. Dieses Kombinationsmedikament bietet sowohl eine sofortige Linderung der Symptome als auch langfristige Vorteile, indem es die Prostata verkleinert. Es wird häufig bei Männern mit größerer Prostata oder schwereren Symptomen angewendet.

- **Phosphodiesterase-5-Hemmer:** Tadalafil (Cialis), ein

beliebtes Medikament gegen erektile Dysfunktion, wurde auch für die Behandlung von BPH zugelassen. Diese Medikamente helfen, die Prostata- und Blasenmuskulatur zu entspannen und den Urinfluss zu verbessern. Diese Methode ist besonders vorteilhaft für Männer, die sowohl Urinsymptome als auch sexuelle Gesundheitsprobleme haben.

Minimalinvasive Verfahren

Männer, die nicht gut auf Medikamente ansprechen oder erhebliche Harnwegssymptome haben, können von minimalinvasiven Verfahren profitieren. Diese Therapien zielen darauf ab, den Harnröhrendruck zu reduzieren, der durch eine vergrößerte

Prostata, ohne dass eine wesentliche Operation erforderlich ist.

- Transurethrale Resektion der Prostata (TURP):
TURP ist eines der beliebtesten Verfahren zur Behandlung von BPH. Bei dieser Behandlung führt ein Chirurg ein bestimmtes Instrument durch die Harnröhre ein, um einen Teil des Prostatagewebes zu entfernen. TURP kann die Harnwegssymptome signifikant reduzieren und den Fluss

erhöhen, obwohl es eine Erholungsphase erfordert.

- Transurethrale Mikrowellentherapie (TUMT): Die TUMT nutzt Mikrowellenenergie, um überflüssiges Prostatagewebe zu erhitzen und zu beseitigen. Dieser minimalinvasive Eingriff wird durch die Harnröhre durchgeführt und hat oft eine kürzere Erholungszeit als TURP. TUMT ist am besten für Männer geeignet, die leichte Symptome haben.

- Lasertherapie: Laser, wie z. B. die Holmium-Laser-Enukleation der Prostata (HoLEP), beseitigen oder verdampfen überschüssiges Prostatagewebe. Laserbehandlungen können Linderung verschaffen, da weniger Blut durchblutet wird und die Genesung schneller wird

als die traditionelle Chirurgie.

- Urolift-System: Das Urolift-System ist eine relativ neue

Behandlung für BPH, bei der kleine Implantate in die Prostata eingesetzt werden, um das vergrößerte Gewebe von der Harnröhre fernzuhalten, was zu einem breiteren Weg für den Urinfluss führt. Bei dieser minimal-invasiven Technik wird kein Gewebe geschnitten oder entfernt, und die Erholungszeit ist in der Regel kurz.

Chirurgische Optionen

Umfangreichere chirurgische Eingriffe können erforderlich sein, wenn Harnprobleme schwerwiegend sind und weniger invasive Behandlungen nicht wirken. Eine Operation ist oft Männern mit einer signifikanten Prostatavergrößerung oder Problemen wie Blasensteinen oder wiederkehrenden Harnwegsinfekten vorbehalten.

- Offene Prostatektomie: Bei dieser Operation wird der innere Teil der Prostata durch einen unteren Bauchschnitt entfernt. Es wird typischerweise verwendet für

Männer, die eine extrem große Prostata haben. Die offene Prostatektomie hilft zwar bei der Behandlung von Harnproblemen, hat aber eine längere Erholungszeit als minimalinvasive Eingriffe.

- Robotergestützte Chirurgie: Der technologische Fortschritt

hat die Entwicklung von robotergestützten BPH-Operationen ermöglicht. Diese Techniken sind weniger invasiv als die offene Standardchirurgie, was zu einer schnelleren Genesung, weniger Beschwerden und weniger Folgen führt.

Überwachung und Nachverfolgung

Unabhängig von der Behandlungstechnik sind regelmäßige Check-ins mit einem Arzt erforderlich, um den Erfolg der Behandlung zu beurteilen und Probleme oder Nebenwirkungen zu bewältigen. Für viele Männer kann eine Kombination aus Änderungen des Lebensstils, Medikamenten und minimal-invasiven Verfahren eine wirksame langfristige Linderung von Harnwegsproblemen bewirken, die durch verursacht werden

Prostatavergrößerung.

Indem Sie sich über die verschiedenen Behandlungsmöglichkeiten informieren

Verfügbar und in enger Zusammenarbeit mit einem Gesundheitsspezialisten können Männer eine Strategie finden, die ihren individuellen Bedürfnissen am besten entspricht und zur Erhaltung der Gesundheit von Harn- und Prostata beiträgt.

TECHNIKEN ZUR BEHANDLUNG EINER ÜBERAKTIVEN BLASE

Die überaktive Blase (OAB) ist eine Erkrankung, die mit zunehmendem Alter immer häufiger auftritt, insbesondere bei

Männern, die unter Veränderungen der Prostatagesundheit leiden. Diese Störung zeichnet sich durch einen häufigen und dringenden Harndrang aus, der gelegentlich von unwillkürlichem Harndrang begleitet wird, der auch als Dranginkontinenz bezeichnet wird. OAB kann das tägliche Leben beeinträchtigen, aber es gibt mehrere wirksame Möglichkeiten, die Symptome zu behandeln und die Blasenkontrolle zu verbessern.

Die überaktive Blase verstehen

Eine überaktive Blase tritt auf, wenn sich die Muskeln übermäßig oder zu unpassenden Zeiten zusammenziehen, auch wenn die Blase unvollständig ist. Dies kann einen plötzlichen und unkontrollierten Harndrang auslösen. Sie tritt häufig bei älteren Männern auf, insbesondere bei Männern mit Prostatavergrößerung, da die Prostata die Funktion der Blase beeinflussen kann. OAB ist zwar nicht lebensbedrohlich, kann aber unangenehm sein und soziale Schande verursachen, wenn es nicht richtig gehandhabt wird.

Verhaltensänderungen

Verhaltensänderungen sind häufig der erste Schritt zur Bewältigung von OAB. Diese Strategien helfen bei der Umschulung der Blase, der Verbesserung der Blasenkontrolle und der Verringerung der Symptomhäufigkeit.

1. Blasentraining:

Blasentraining ist eine Technik zur Förderung der

Blase, um mehr Urin für längere Zeiträume zu speichern. Bei dieser Methode werden regelmäßig Ausflüge in die Toilette geplant, wobei die Zeit zwischen den Urinierungen allmählich verlängert wird. Wenn ein Mann zum Beispiel stündlich urinieren muss, kann er versuchen, 10-15 Minuten länger zu warten, bevor er auf die Toilette geht. Diese Aktivität dehnt die Blase allmählich und verbessert die Kontrolle, wodurch der Harndrang und die Häufigkeit des Wasserlassens verringert werden.

2. Zeitgesteuertes Entleeren:

Timed Voiding ähnelt dem Blasentraining, nur dass es sich auf die Vermeidung von Unfällen konzentriert. Männer

nutzen diesen Ansatz, um regelmäßige Toilettengänge zu bestimmten Zeiten im Laufe des Tages zu arrangieren, unabhängig davon, ob sie den Drang dazu verspüren. Timed Voiding verhindert unerwartete Leckagen und verringert die

OAB-Angst, indem es dringenden Heißhungerattacken immer einen Schritt voraus ist.

3. Kegelübungen sind eine Art Beckenbodenübung.

Beckenbodenübungen, oft auch als Kegel-Übungen bekannt, stärken die Muskeln, die den Urin steuern. Diese Workouts zielen auf die Beckenbodenmuskulatur ab, die die Blase stützt und bei der Kontrolle des Urinflusses hilft. Männer, die regelmäßig Kegel-Übungen machen, können ihre Fähigkeit erhöhen, plötzliche Impulse zu kontrollieren und ein Auslaufen zu vermeiden. Bei diesen Übungen wird die Beckenmuskulatur zusammengezogen und die Kontraktion für einige Sekunden gehalten, bevor sie sich entspannt. Um den besten Nutzen zu erzielen, müssen Sie diese Übungen konsequent durchführen.

Ernährungsumstellung

Spezifische Ernährungsumstellungen können helfen, OAB-Symptome zu behandeln. Einige Lebensmittel und Getränke können die Blase reizen und die Symptome verschlimmern, während andere zur Erhaltung der Blasengesundheit beitragen können.

1. Reduzieren Sie Reizstoffe:

Bestimmte Lebensmittel und Getränke sind dafür bekannt, die Blase zu reizen und sollten von Menschen mit OAB eingeschränkt oder vermieden werden. Dazu gehören:

- **Koffein:** Koffein, das in Kaffee, Tee, Schokolade und vielen Erfrischungsgetränken enthalten ist, ist ein Diuretikum, das die Urinproduktion erhöht und die Blasenfunktion stimuliert.

- **Alkohol:** Alkohol kann die Blase reizen und den Harndrang erhöhen.

- **Scharfe Speisen:** Zu scharfe Speisen können die Blasenschleimhaut reizen und Symptome von OAB verursachen.

- **Zitrusfrüchte** wie Orangen, Grapefruits und Zitronen sind sauer und können die Blase reizen.

2. Bleiben Sie hydratisiert, während Sie die Aufnahme mäßigen:

Während es wichtig ist, hydratisiert zu sein, kann das Schlucken von zu viel Wasser die Blase überfordern, was zu häufigem Wasserlassen führt. Es ist am besten, Wasser über den Tag verteilt zu trinken und nicht alles auf einmal.

Darüber hinaus kann die Begrenzung der Flüssigkeitsaufnahme am Abend dazu beitragen, den nächtlichen Harndrang zu verringern und die Schlafqualität zu verbessern.

Behandlungen für eine überaktive Blase

Medikamente können Männern helfen, OAB-Symptome zu bewältigen, wenn Verhaltensänderungen und Ernährungsumstellungen nicht genügend Linderung bringen. Diese Medikamente entspannen in der Regel die Blasenmuskulatur oder verringern den Harndrang.

1. Anticholinergika:

Diese Medikamente helfen, die Blasenmuskulatur zu entspannen und die Anzahl der unwillkürlichen Kontraktionen zu minimieren. OAB wird häufig mit Anticholinergika wie Oxybutynin (Ditropan), Tolterodin

(Detrol) und Solifenacin (Vesicare) behandelt. Diese Medikamente wirken gut, um Dringlichkeit und Häufigkeit

zu reduzieren, aber sie können Nebenwirkungen wie Mundtrockenheit oder Verstopfung verursachen.

2. Beta-3 Adrenerge Agonisten:

Beta-3-adrenerge Agonisten sind eine andere Art von Medikamenten, die die Blasenmuskulatur entspannen und es der Blase ermöglichen, mehr Urin ohne unwillkürliche Krämpfe zu halten. Mirabegron (Myrbetriq) ist ein beliebtes verschreibungspflichtiges Medikament in dieser Kategorie. Es wird häufig von Menschen bevorzugt, die Anticholinergika nicht gut einnehmen, da es weniger Nebenwirkungen verursacht.

Fortgeschrittene Behandlungen.

Wenn Änderungen des Lebensstils und Medikamente nicht ausreichen, um die OAB-Symptome zu lindern, sollten fortgeschrittene Behandlungen in Betracht gezogen werden. Diese Lösungen sind oft Männern mit schweren oder anhaltenden Problemen vorbehalten.

1. Botox-Injektionen:

Botulinumtoxin (Botox)-Injektionen können helfen, die Blasenmuskulatur zu entspannen und unwillkürliche Kontraktionen zu minimieren. Bei dieser Behandlung werden

kleine Mengen

Botox werden direkt in den Blasenmuskel injiziert. Die Wirkung kann mehrere Monate anhalten und die Operation kann wiederholt werden.

2. Nervenstimulation:

Nervenstimulationstherapien wie die sakrale Neuromodulation und die perkutane Tibianervstimulation (PTNS) verändern die Nerven, die die Blasenfunktion steuern. Diese Behandlungen können die Anzahl der Blasenkontraktionen senken und die Blasenkontrolle verbessern. Bei der sakralen Neuromodulation wird ein winziges Gerät implantiert, das elektrische Impulse an die Sakralnerven abgibt, während bei der PTNS eine externe Stimulation über eine Nadel erfolgt, die um den Knöchel implantiert wird.

Professionelle Beratung suchen

Wenn die OAB-Symptome anhalten oder sich verschlimmern, wenden Sie sich an einen Arzt, der spezifische Vorschläge machen und auf Probleme achten kann. Ein Arzt kann auch

Schlagen Sie zusätzliche diagnostische Tests vor, wie z. B.

urodynamische Untersuchungen, um die zugrunde liegenden Gründe für OAB zu ermitteln.

Männer mit einer überaktiven Blase können ihre Symptome in den Griff bekommen und eine höhere Lebensqualität bewahren, indem sie die richtige Kombination aus Therapien, Medikamenten und möglicherweise ausgeklügelten Behandlungen anwenden.

KOGNITIVE GESUNDHEIT

Eine Verbindung zum Wohlbefinden der Prostata

Mit zunehmendem Alter wird es immer wichtiger, die Gesundheit der kognitiven Gesundheit und der Prostata zu erhalten. Die Forschung zeigt einen Zusammenhang zwischen diesen beiden Regionen und zeigt, wie sich das allgemeine Wohlbefinden nicht nur auf die körperliche Gesundheit, sondern auch auf die geistige Funktion auswirken kann. Das Verständnis dieses Zusammenhangs ist entscheidend für die Entwicklung von Maßnahmen zur Steigerung des langfristigen Wohlbefindens bei älteren Männern.

Die Rolle der kognitiven Gesundheit beim Altern

Kognitive Gesundheit umfasst die Fähigkeit, klar zu denken, zu lernen und sich zu erinnern. Mit zunehmendem Alter können Veränderungen der Gehirnfunktion zu Schwierigkeiten mit dem Gedächtnis, der Konzentration und der Problemlösung führen. Der kognitive Verfall kann im Laufe der Zeit allmählich auftreten und wird durch Alter, Genetik und Lebensstil beeinflusst.

Die Aufrechterhaltung der kognitiven Gesundheit ist entscheidend für die allgemeine Lebensqualität, da sie sich auf das tägliche Funktionieren, die Unabhängigkeit und das emotionale Wohlbefinden auswirkt. Während der kognitive Verfall ein natürlicher Aspekt des Alterns ist, können einige Aktivitäten ergriffen werden, um den Prozess zu stoppen und die Gesundheit des Gehirns zu fördern. Überraschenderweise deuten neue Daten darauf hin, dass die Aufrechterhaltung einer optimalen Prostatagesundheit auch dazu beitragen kann, die kognitive Funktion im Alter von Männern zu erhalten.

Prostatagesundheit und ihre Auswirkungen auf das kognitive Wohlbefinden

Der Zusammenhang zwischen der Gesundheit der Prostata und der kognitiven Funktion wird derzeit untersucht, aber es wurden einige Assoziationen entdeckt. Ein wichtiger Forschungsbereich ist der Einfluss des Hormonspiegels auf die Gesundheit von Prostata und Gehirn. Mit zunehmendem Alter von Männern können Veränderungen der Hormonproduktion, insbesondere des Testosterons, sowohl die kognitive Kapazität als auch die Prostatafunktion beeinträchtigen.

1. Hormonveränderungen und kognitive Funktionen:

Testosteron ist nicht nur für die Gesundheit der Prostata notwendig, sondern beeinflusst auch die Gehirnfunktion. Der Testosteronspiegel sinkt natürlich mit dem Alter, was sowohl mit Prostataerkrankungen (wie gutartiger Prostatahyperplasie oder BPH) als auch mit kognitivem Verlust in Verbindung gebracht wird. Niedrige Testosteronspiegel wurden mit Gedächtnisproblemen, einer schlechteren Verarbeitungsgeschwindigkeit und einer kürzeren Aufmerksamkeitsspanne in Verbindung gebracht, insbesondere bei Männern.

Darüber hinaus umfassen spezifische Therapien für Prostataerkrankungen, einschließlich Prostatakrebs, eine Hormontherapie zur Senkung des Testosteronspiegels.

Während

Dies kann eine erfolgreiche Strategie zur Behandlung von Prostatakrebs sein, es kann aber auch kognitive Nebenwirkungen wie Konzentrations- oder Erinnerungsschwierigkeiten verursachen. Das Verständnis des Zusammenhangs zwischen Hormonmanagement und psychischer Gesundheit ist für Männer, die sich einer Prostatabehandlung unterziehen, von entscheidender Bedeutung.

2. Entzündung und kognitive Gesundheit:

Chronische Entzündungen, die bei Prostataerkrankungen wie Prostatitis oder BPH auftreten können, können die kognitive Gesundheit beeinträchtigen. Es wird angenommen, dass Entzündungen eine Rolle bei verschiedenen neurodegenerativen Erkrankungen spielen, darunter Alzheimer und andere Arten von Demenz. Wenn eine Entzündung an einer Stelle des Körpers, wie z. B. der Prostata, auftritt, kann dies systemische Folgen haben und zu einer allgemeinen Entzündung beitragen, die das Gehirn betrifft.

Männer mit chronischen Prostataentzündungen haben

möglicherweise ein höheres Risiko für eine kognitive Verschlechterung aufgrund der Entzündungsprozesse, die sowohl in der

Prostata und Gehirn. Die Behandlung von Entzündungen durch Änderungen des Lebensstils, Medikamente oder andere Behandlungen kann die Gesundheit der Prostata und der kognitiven Gesundheit verbessern.

Strategien zur Förderung der kognitiven Gesundheit und der Prostatagesundheit

Angesichts der Zusammenhänge zwischen Prostata- und kognitiver Gesundheit sollten Männer einen umfassenden Ansatz für das Altern verfolgen, der beide Bereiche umfasst. Lebensstilverhaltensweisen und -praktiken können das allgemeine Wohlbefinden fördern, einschließlich der kognitiven Funktion und der Gesundheit der Prostata.

1. Regelmäßige körperliche Aktivität:

Bewegung ist eine hochwirksame Technik zur Verbesserung der kognitiven Gesundheit und der Prostatagesundheit. Körperliche Aktivität erhöht die Durchblutung des Gehirns, stärkt das Herz-Kreislauf-System und kann Entzündungen lindern. Bewegung hilft auch, den Hormonspiegel zu kontrollieren, insbesondere Testosteron, das die Prostata verbessern kann

Gesundheit.

Männer sollten sich um häufige, moderate Aktivitäten wie Gehen, Schwimmen oder Krafttraining bemühen, um die Vorteile zu nutzen. Bewegung kann die körperliche Gesundheit, die Stimmung und die geistige Klarheit verbessern und Männern helfen, die kognitive Funktion im Alter zu erhalten.

2. Eine gesunde Ernährung:

Die Ernährung ist sowohl für die Gesundheit des Gehirns als auch der Prostata unerlässlich. Eine Ernährung, die reich an Obst, Gemüse, Vollkornprodukten und mageren Proteinen ist, enthält lebenswichtige Nährstoffe, die die kognitiven Funktionen verbessern und das Risiko von Prostataproblemen senken. Eine Ernährung mit hohem Gehalt an Antioxidantien wie Beeren, Blattgemüse und Nüssen kann dazu beitragen, das Gehirn vor oxidativem Stress zu schützen, und entzündungshemmende Diäten wie fetter Fisch und Olivenöl können sowohl der Prostata als auch der kognitiven Gesundheit zugute kommen.

Um das Risiko einer Prostatavergrößerung und -entzündung zu verringern, beschränken Sie Ihre Ernährung auf verarbeitete Mahlzeiten, rot

Fleisch und fettreiche Milchprodukte. Eine ausgewogene

Ernährung verbessert die allgemeine Gesundheit und ermöglicht es Männern, ihre kognitive Schärfe und Prostatafunktion im Alter zu erhalten.

3. Kognitives Engagement:

Körperliche Aktivität stärkt den Körper und geistige Übungen helfen, den Geist frisch zu halten. Lesen, Puzzles, das Erlernen neuer Fähigkeiten und soziale Interaktionen sind Beispiele für geistig herausfordernde Aktivitäten, die die kognitive Widerstandsfähigkeit stärken und das Risiko eines kognitiven Verfalls senken.

Darüber hinaus ist Stressbewältigung für die Gesundheit der Kognition und der Prostata unerlässlich. Chronischer Stress kann hormonelle Ungleichgewichte und Entzündungen verursachen, die das Gehirn und die Prostata schädigen. Die

Einbeziehung von Entspannungstechniken wie Meditation, tiefes Atmen oder Achtsamkeit in den Alltag kann der allgemeinen Gesundheit zugute kommen.

4. Regelmäßige Gesundheitsuntersuchungen:

Regelmäßige ärztliche Untersuchungen sind notwendig, um sowohl die kognitive Gesundheit als auch die Prostatagesundheit zu überwachen. Männer sollten ihren Arzt aufsuchen, wenn sie Bedenken hinsichtlich Gedächtnis-, Konzentrations- oder Harnproblemen haben. Screenings auf Prostataerkrankungen, wie z. B. Tests auf prostataspezifisches Antigen (PSA), können helfen, potenzielle Probleme frühzeitig zu erkennen, während kognitive Untersuchungen auf Veränderungen der Gehirnfunktion hinweisen können, die Aufmerksamkeit erfordern.

Männer können ihr Alterungsrisiko senken und ein besseres Leben führen, indem sie proaktiv handeln und die kognitive Gesundheit und die Gesundheit der Prostata durch Lebensstilentscheidungen und medizinische Versorgung fördern.

Das Altern bringt körperliche und psychische Probleme mit sich, und Resilienz ist einer der kritischsten Aspekte von

Gesundheit und Lebensqualität im Alter zu erhalten. Resilienz aufzubauen bedeutet, sich an Veränderungen anzupassen, Rückschläge zu überwinden und trotz der unvermeidlichen Veränderungen, die das Altern mit sich bringt, physisch und psychisch stark zu bleiben. Dies ist besonders wichtig, wenn

es um die Gesundheit der Prostata geht, da Probleme wie gutartige Prostatahyperplasie (BPH) und andere altersbedingte Veränderungen häufig von Männern verlangen, proaktiv und anpassungsfähig in ihrem Ansatz für die Gesundheitsversorgung zu sein.

Die Rolle der Resilienz im Alter

Resilienz ist die Fähigkeit, sich schnell von körperlichen und geistigen Widrigkeiten zu erholen. Mit zunehmendem Alter können Männer eine Reihe von gesundheitlichen Problemen entwickeln, wie z. B. Veränderungen der Prostatafunktion,

Harnwegssymptome und sogar Prostatakrebs. Diese Krankheiten können den Alltag unterbrechen und sich auf alles auswirken, vom Schlafverhalten bis hin zum psychischen Wohlbefinden. Durch die Entwicklung von Resilienz können Männer diese Probleme besser bewältigen und bewahren Sie sich eine optimistische Sichtweise.

Resilienz ist mehr als nur die Genesung von einer Krankheit; Es geht auch darum, eine Mentalität und einen Lebensstil zu kultivieren, die die langfristige körperliche und geistige Gesundheit fördern. Der Schwerpunkt hat sich von der Behandlung gesundheitlicher Probleme auf deren Vorbeugung verlagert und darauf, ein Leben lang aktiv,

engagiert und geistig aufgeweckt zu bleiben.

Körperliche Belastbarkeit und Gesundheit der Prostata

Die körperliche Widerstandsfähigkeit wird mit zunehmendem Alter immer wichtiger, insbesondere wenn es um die Gesundheit der Prostata geht. Häufige Prostataerkrankungen wie BPH können Symptome wie Schwierigkeiten beim Wasserlassen, häufiges Wasserlassen oder Unwohlsein verursachen. Der Aufbau körperlicher Widerstandsfähigkeit kann dazu beitragen, die Auswirkungen bestimmter Krankheiten zu lindern und die allgemeine Gesundheit zu verbessern.

1. Regelmäßige Bewegung:

Die Aufrechterhaltung der körperlichen Aktivität ist eine der effektivsten Methoden, um die Resilienz zu entwickeln. Übung

Entwickelt Muskeln, fördert die kardiovaskuläre Gesundheit und verbessert das Gleichgewicht und die Flexibilität, was für den Erhalt der Unabhängigkeit im Alter unerlässlich ist. Regelmäßige Bewegung fördert die Gesundheit der Prostata, indem sie den Hormonspiegel reguliert, Entzündungen reduziert und das Körpergewicht kontrolliert – all dies kann

einige der mit BPH verbundenen Symptome lindern.

Bewegung muss nicht anstrengend sein. Gehen, Schwimmen und Kraftübungen mit geringer Belastung können Ihnen helfen, eine gute körperliche Gesundheit zu erhalten. Regelmäßige Bewegung verbessert auch die Blasenkontrolle und senkt das Auftreten von Prostataproblemen.

2. Gesunde Ernährung:

Die richtige Ernährung kann helfen, die Widerstandsfähigkeit gegen altersbedingte Prostataerkrankungen aufzubauen. Eine ausgewogene Ernährung, die reich an Obst, Gemüse, Vollkornprodukten und mageren Proteinen ist, fördert die allgemeine Gesundheit und verringert Entzündungen, was besonders bei der Behandlung der Prostatagesundheit von Vorteil sein kann.

Bestimmte Nährstoffe, wie z. B. Antioxidantien in Blattgemüse und Tomaten, können dazu beitragen, das Auftreten von Prostataproblemen zu senken. Omega-3-Fettsäuren in fettem Fisch wie Lachs sind entzündungshemmend und können die Gesundheit der Prostata verbessern. Es ist wichtig, hydratisiert zu bleiben, aber die Begrenzung der Flüssigkeitsaufnahme am Abend kann dazu beitragen, den

Drang zum häufigen Wasserlassen in der Nacht zu verringern.

Mentale und emotionale Resilienz

Geistige und emotionale Widerstandsfähigkeit sind ebenso wichtig wie die körperliche Gesundheit. Wenn Männer älter werden, können sie Stress, Sorgen oder Unzufriedenheit aufgrund von Gesundheitsproblemen der Prostata oder anderen Lebensveränderungen erleben. Der Aufbau psychischer Resilienz fördert das emotionale Wohlbefinden und eine positive Denkweise, was für die Stressbewältigung und die Anpassung an neue Situationen unerlässlich ist.

1. Stressbewältigung:

Chronischer Stress kann sowohl die geistige als auch die körperliche Gesundheit schädigen. Anhaltender Stress erhöht den Cortisolspiegel,

Verschlimmerung von Entzündungen und Beitrag zu Harnwegsproblemen. Ansätze zur Stressreduktion wie tiefe Atemübungen, Meditation oder Achtsamkeitsübungen können dazu beitragen, die emotionale Belastung durch gesundheitliche Probleme der Prostata zu lindern und das allgemeine Wohlbefinden zu fördern.

2. Kognitives Engagement:

Die Aufrechterhaltung der geistigen Schärfe im Alter ist ein wesentlicher Bestandteil der Resilienz. Die Teilnahme an geistig anregenden Aktivitäten wie Puzzles, dem Erwerb neuer Fähigkeiten oder dem sozialen Engagement kann dazu beitragen, Ihr Gehirn aktiv zu halten und das Risiko eines kognitiven Verfalls zu senken. Kognitives Engagement trägt auch dazu bei, emotionale Widerstandsfähigkeit aufzubauen, indem es das Selbstvertrauen stärkt und ein Gefühl von Sinn und Leistung schafft.

3. Positiver Ausblick:

Eine positive Denkweise ist entscheidend für die Entwicklung von Resilienz. Während das Altern und Gesundheitsprobleme der Prostata komplex sein können, ermöglicht eine positive Einstellung Männern, diese Hindernisse mit Zuversicht und Entschlossenheit zu bewältigen. Männer können ihre Gesundheit effektiver managen, indem sie sich auf das konzentrieren, was sie kontrollieren können, wie z. B. Ernährung, Bewegung und emotionales Wohlbefinden.

Soziale Unterstützung und Resilienz.

Ein solides Unterstützungsnetzwerk ist unerlässlich, um im Alter Resilienz zu entwickeln. Männer, die sich mit Familie, Freunden oder einer Gemeinschaft verbunden fühlen, sind besser auf gesundheitliche Probleme, einschließlich der Gesundheit der Prostata, vorbereitet. Soziale Unterstützung bietet emotionalen Trost und praktische Hilfe bei der Planung von Arztterminen, Therapien oder Änderungen des Lebensstils.

Sich an sozialen Aktivitäten zu beteiligen, sei es durch Hobbys, Freiwilligenarbeit oder einfach Zeit mit geliebten

Menschen zu verbringen, fördern das Zugehörigkeitsgefühl und verringern das Gefühl der Einsamkeit, was sich negativ auf die psychische Gesundheit auswirken kann. Der Austausch von Erfahrungen und das Lernen von anderen, die mit ähnlichen Problemen konfrontiert sind, kann ebenfalls wertvolle Erkenntnisse und Motivation bringen.

Den proaktiven Ansatz verfolgen

Bei der Resilienz geht es nicht darum, darauf zu warten, dass Probleme auftauchen, sondern darum, proaktive Schritte zu unternehmen, um sich um Ihre Gesundheit zu kümmern. Ein proaktiver Ansatz für das Altern umfasst regelmäßige

Gesundheitsuntersuchungen, Prostatatests und eine offene Kommunikation mit Gesundheitsspezialisten. Wenn Sie gut informiert sind und aktiv in Ihre Entscheidungen im Gesundheitswesen einbezogen werden, können Sie potenzielle gesundheitliche Schwierigkeiten effizienter bewältigen.

Durch eine widerstandsfähige Denkweise und einen widerstandsfähigen Lebensstil können Männer den Herausforderungen des Alterns mit mehr Selbstvertrauen und Flexibilität begegnen. Unabhängig davon, ob die Verwaltung

Gesundheit der Prostata oder andere altersbedingte Veränderungen, Resilienz ist entscheidend für die Aufrechterhaltung des körperlichen und geistigen Wohlbefindens und die Gewährleistung einer höheren Lebensqualität im Laufe der Jahre.

KAPITEL 3: PROSTATA-SCREENING UND PRÄVENTION

ERÖRTERT DIE BEDEUTUNG REGELMÄßIGER PROSTATAUNTERSUCHUNGEN.

Regelmäßige Prostatauntersuchungen sind unerlässlich, um Probleme wie gutartige Prostatahyperplasie (BPH), Prostatitis und Prostatakrebs frühzeitig zu erkennen. Während der Gedanke an eine Prostatauntersuchung bei einigen Männern unangenehm sein kann, sind diese Screenings entscheidend für die frühzeitige Erkennung von Problemen, wenn die Behandlungsmöglichkeiten häufig erfolgreicher und weniger aufdringlich sind. Prostataerkrankungen, insbesondere Prostatakrebs, können sich langsam und ohne Anzeichen entwickeln, daher sind jährliche Untersuchungen für die langfristige Gesundheit von entscheidender Bedeutung.

Früherkennung rettet Leben

Prostatakrebs wächst in der Regel langsam, kann aber tödlich verlaufen, wenn er nicht diagnostiziert und behandelt wird. Einer der wesentlichsten Vorteile regelmäßiger Prostatauntersuchungen ist die Möglichkeit der Früherkennung. Wenn Prostatakrebs frühzeitig erkannt wird, ist er wesentlich einfacher zu behandeln und zu behandeln, was die Wahrscheinlichkeit eines günstigen Ergebnisses erhöht.

Viele Männer zeigen in den frühen Stadien des Prostatakrebses keine signifikanten Symptome. Bis zu dem Zeitpunkt, an dem Anzeichen wie Schwierigkeiten beim Pinkeln, Blut im Urin oder Beckenschmerzen auftreten, kann sich die Krankheit ausgebreitet haben. Regelmäßige Vorsorgeuntersuchungen erkennen Krebs, bevor Symptome auftreten, und ermöglichen ein frühzeitiges Eingreifen. Dies ist besonders wichtig für Männer, die in der Familie an Prostatakrebs erkrankt sind oder Afroamerikaner sind, da sie statistisch gesehen häufiger an Prostatakrebs erkranken und aggressivere Formen der Krankheit erleben.

Arten von Prostatauntersuchungen

Für das Screening der Prostata können zwei Methoden verwendet werden: der PSA-Test und die digitale rektale Untersuchung (DRE). Beide Tests helfen bei der Messung der Prostatagesundheit und werden häufig zusammen durchgeführt, um ein vollständigeres Bild zu erhalten.

1. Prostata-spezifisches Antigen (PSA) Test:

Der PSA-Test untersucht die Menge an PSA, einem Protein, das von der Prostata produziert wird, im Blutkreislauf eines Mannes. Erhöhte PSA-Werte können auf Prostatakrebs hinweisen, aber auch durch nicht-krebsartige Erkrankungen wie BPH oder Prostatitis verursacht werden. Der PSA-Test ist ein einfacher Bluttest, der zwar keine endgültige Diagnose von Prostatakrebs stellt, aber als wesentlicher Hinweis darauf dient, dass zusätzliche Untersuchungen erforderlich sind.

Es ist wichtig zu beachten, dass die PSA-Werte von Person zu Person variieren und hohe Werte nicht immer auf Malignität hinweisen. Alter, Prostatainfektionen und kürzliche Ejakulation können die PSA-Werte beeinflussen. Infolgedessen untersuchen Gesundheitsdienstleister häufig PSA-Trends im Laufe der Zeit, anstatt sich nur auf ein einzelnes Testergebnis zu verlassen.

2. Digitale rektale Untersuchung (DRE):

Die DRE ist eine körperliche Untersuchung, bei der ein Arzt einen behandschuhten, geschmierten Finger in das Rektum einführt, um die Prostata zu ertasten. Auf diese Weise kann der Arzt nach Anomalien wie Klumpen, Härte oder Unregelmäßigkeiten in Größe oder Form suchen. Obwohl die DRE schmerzhaft sein kann, ist es eine kurze Technik, die wichtige Informationen über die Gesundheit der Prostata bietet.

Die DRE ist besonders vorteilhaft für die Erkennung von körperlichen Veränderungen in der Prostata, die bei einem PSA-Test möglicherweise nicht sichtbar sind. Durch die Kombination der Ergebnisse der PSA- und DRE-Tests können Ärzte die Gesundheit der Prostata besser beurteilen und feststellen, ob zusätzliche diagnostische Tests erforderlich sind.

Wer sollte sich regelmäßig einer Prostatauntersuchung unterziehen?

Männer über 50 Jahre sollten mit einem regelmäßigen Prostata-Screening beginnen. Diejenigen mit höherem Risiko müssen jedoch möglicherweise früher damit beginnen.

Männer mit einer familiären Vorgeschichte von Prostatakrebs, afroamerikanische Männer und solche mit bestimmten genetischen Markern sind möglicherweise anfälliger für Prostatakrebs und sollten eine frühzeitige Vorsorgeuntersuchung bei ihrem Arzt in Betracht ziehen, die etwa im Alter von 45 Jahren beginnen sollte.

Männer müssen offene Gespräche mit ihrem Arzt über ihre spezifischen Risikofaktoren und den besten Zeitpunkt für Prostatauntersuchungen führen. Einige Richtlinien implizieren, dass Männer über 70 Jahre möglicherweise kein routinemäßiges PSA-Screening mehr benötigen, insbesondere wenn sie keine Symptome haben oder ein geringes Risiko haben, an aggressivem Prostatakrebs zu erkranken. Vorsorgeentscheidungen sollten jedoch immer individuell und in Zusammenarbeit mit einem Gesundheitsdienstleister getroffen werden.

Vorteile des regelmäßigen Screenings

Regelmäßige Prostatakontrollen bieten zahlreiche Vorteile, insbesondere im Hinblick auf die Früherkennung und Prävention. Zu den Vorteilen gehören:

1. Früherkennung von Krebs:

Wie bereits erwähnt, verläuft Prostatakrebs in den frühen

Stadien in der Regel asymptomatisch, so dass Routineuntersuchungen entscheidend sind, um die Krankheit zu erkennen, bevor sie fortschreitet. Die Früherkennung eröffnet eine größere Auswahl an Behandlungsalternativen, von denen viele weniger invasiv sind und weniger Nebenwirkungen haben als Behandlungen bei fortgeschrittenem Krebs.

2. Überwachen Sie die Gesundheit der Prostata im Laufe der Zeit:

Regelmäßige Tests ermöglichen es Gesundheitsdienstleistern, Veränderungen der Prostatagesundheit im Laufe der Zeit zu verfolgen. Ärzte können Trends im PSA-Wert und körperliche Veränderungen in der Prostata erkennen, die auf den Ausbruch einer Krankheit hindeuten können. Diese proaktive Strategie stellt sicher, dass Anomalien frühzeitig erkannt werden, bevor sie sich verschlimmern.

3. Senkung des Risikos von Komplikationen:

Die frühzeitige Erkennung von Prostataanomalien kann dazu beitragen, das Risiko von Komplikationen wie Harnverhalt,

Nierenschäden und metastasierendem Krebs zu verringern.

Durch die frühzeitige Berücksichtigung von Prostataproblemen können Männer invasivere Operationen vermeiden und ihre langfristigen Gesundheitsergebnisse verbessern.

4. Seelenfrieden:

Viele Männer empfinden die Unsicherheiten rund um die Gesundheit der Prostata als frustrierend. Regelmäßige Vorsorgeuntersuchungen geben Ihnen die Gewissheit, dass mögliche Probleme untersucht und behandelt werden. Selbst wenn ein Problem entdeckt wird, bietet frühzeitiges Handeln die höchsten Chancen auf einen erfolgreichen Abschluss.

Häufige Bedenken bei Prostatauntersuchungen.

Einige Männer können besorgt oder ängstlich sein, sich einer Prostatauntersuchung zu unterziehen, insbesondere der DRE. Es ist jedoch wichtig zu erkennen, dass diese Kontrollen schnell und sicher sind und wichtige Informationen über die Gesundheit der Prostata liefern. Die DRE verursacht geringfügige Beschwerden, und die Vorteile übertreffen alle vorübergehenden Unannehmlichkeiten bei weitem.

Darüber hinaus verbessern Entwicklungen in der Test- und Screening-Technologie, wie z. B. verbesserte PSA-Tests und bildgebende Verfahren, die Genauigkeit der Identifizierung von Prostatakrebs. Männer sollten sich befähigt fühlen, Bedenken oder Fragen mit ihrem Arzt zu teilen, der den Eingriff klären und die prüfungsbedingte Nervosität reduzieren kann.

Kontrolle über die Gesundheit der Prostata erlangen

Die Gesundheit der Prostata ist für das richtige Altern unerlässlich, und häufige Kontrollen sind die Grundlage für Prävention und Früherkennung. Männer können die Kontrolle über ihre Gesundheit übernehmen und ihr Risiko für signifikante Prostataprobleme verringern

Indem Sie proaktiv bleiben und sich der Prostatatests bewusst sind. Früherkennung, individuelle Gesundheitsentscheidungen und regelmäßiges Monitoring können dazu beitragen, die Gesundheit und Lebensqualität der Prostata zu erhalten.

Eine fundierte Entscheidungsfindung ist ein wesentlicher Bestandteil des Gesundheitswesens, insbesondere in Bezug auf Prostata-Screening und -Prävention. Mit zunehmendem Alter stehen Männer vor einer Vielzahl von Entscheidungen im Gesundheitswesen, insbesondere bei gutartigen Prostatahyperplasie (BPH) und Prostatakrebs. Diese Auswahl kann einschüchternd sein, aber informierte Entscheidungen ermöglichen es den Menschen, die Kontrolle über ihre Gesundheit zu übernehmen und dabei sowohl die Gefahren als auch die Vorteile zu berücksichtigen. Das Verständnis, wie wichtig es ist, Informationen zu beschaffen, sich mit medizinischem Fachpersonal zu beraten und persönliche Überzeugungen zu bewerten, ist entscheidend für effektive Entscheidungen im Gesundheitswesen.

Der Wert des Informierens

Entscheidungen im Gesundheitswesen, insbesondere in Bezug auf die Gesundheit der Prostata, erfordern ein gründliches Verständnis der verfügbaren Optionen, Risiken und potenziellen Ergebnisse. Eine informierte

Entscheidungsfindung impliziert, dass die Patienten über alle relevanten Elemente vollständig informiert sind und diese anhand ihrer besonderen Präferenzen und langfristigen Gesundheitsziele beurteilen können.

Wenn es um Prostata-Screenings geht, wie z. B. den Prostata-spezifischen Antigen (PSA)-Test oder die digitale rektale Untersuchung (DRE), gibt es sowohl Vor- als auch Nachteile. Regelmäßige Vorsorgeuntersuchungen können Prostataprobleme frühzeitig aufdecken und eine angemessene Intervention und Behandlung ermöglichen. Nichtsdestotrotz können falsch positive Ergebnisse zu übermäßiger Belastung oder weiteren aufdringlichen Tests führen. Das Verständnis der potenziellen Vor- und Nachteile des Screenings ermöglicht es Männern, die beste Entscheidung für ihre Situation zu treffen.

Verlässliche Informationen erhalten

Der erste Schritt, um fundierte Entscheidungen über die Gesundheit der Prostata zu treffen, besteht darin, vertrauenswürdige und genaue Daten zu sammeln. Gesundheitsdienstleister, medizinische Literatur und angesehene Gesundheitsorganisationen bieten wichtige Informationen über Prostata-Screenings, Behandlungsmöglichkeiten und Präventionstechniken. Die Patienten sollten sich über das Ziel und die Grenzen von Prostata-Screenings informieren, einschließlich dessen, was die Tests beurteilen und wie die Ergebnisse interpretiert werden.

Zum Beispiel weist der PSA-Test das Vorhandensein von PSA, einem von der Prostata produzierten Protein, im Blutkreislauf nach. Während hohe PSA-Werte auf Prostatakrebs hindeuten können, können sie auch durch gutartige Erkrankungen wie BPH oder Prostatitis verursacht werden. Zu wissen, dass ein hoher PSA-Wert nicht immer auf das Vorhandensein von Krebs hinweist, hilft, ungerechtfertigte Sorgen zu lindern. Ebenso hilft die Anerkennung der Möglichkeit falsch positiver oder negativer Ergebnisse bei medizinischen Tests dabei, realistische Erwartungen zu setzen.

Männer sollten zahlreiche Quellen konsultieren

Informationen und suchen Sie nach klärenden Fragen, um etwaige Ängste zu lindern. Bei so vielen medizinischen Informationen, die online verfügbar sind, ist es wichtig, zwischen zuverlässigen Quellen und solchen zu unterscheiden, die irreführende oder unzureichende Ratschläge geben können. Die zuverlässigsten und hilfreichsten Quellen sind seriöse medizinische Websites, von Experten begutachtete Zeitschriften und direkte Gespräche

mit Angehörigen der Gesundheitsberufe.

Beratung von Gesundheitsdienstleistern

Ein offener Kontakt zu Gesundheitsdienstleistern ist unerlässlich, um fundierte Entscheidungen zu treffen. Ärzte sind entscheidend für die Aufklärung der Patienten über ihre Gesundheitsoptionen und die Auswirkungen von Vorsorgeuntersuchungen und Behandlungen. Männer sollten sich wohl fühlen, wenn sie auf ihre Bedenken eingehen, Fragen stellen und Klarheit über die Vorteile und Gefahren verschiedener Gesundheitsoptionen suchen.

Beim Prostata-Screening können Gesundheitsexperten helfen

Männer, ihre einzigartigen Risikofaktoren wie Familienanamnese, Alter und Lebensstil zu verstehen, um fundierte Entscheidungen treffen zu können. Männer mit einer familiären Vorgeschichte von Prostatakrebs sowie Männer afroamerikanischer Herkunft haben ein höheres Risiko und müssen möglicherweise früher oder häufiger mit dem

Screening beginnen.

In diesen Gesprächen können Gesundheitsexperten Empfehlungen auf der Grundlage des spezifischen Gesundheitsprofils der Patienten aussprechen und sie bei der

Entscheidungsfindung unterstützen. Ärzte können die möglichen Ergebnisse des Screenings beschreiben, z. B. was passiert, wenn die Testergebnisse abnormal sind, und bei Bedarf die nächsten Schritte für zusätzliche diagnostische Tests oder Behandlungsalternativen skizzieren.

Bewertung persönlicher Werte und Vorlieben

Informierte Entscheidungsfindung ist mehr als nur die Kenntnis der medizinischen Fakten; Es berücksichtigt auch persönliche Überzeugungen und Vorlieben. Die Gesundheitsziele, die Risikotoleranz und die Lebensumstände eines jeden Mannes wirken sich auf seine

Entscheidungen. Für einige kann die Möglichkeit einer frühzeitigen Diagnose von Prostatakrebs durch Vorsorgeuntersuchungen die Unannehmlichkeiten bei Untersuchungen oder die Wahrscheinlichkeit zusätzlicher Tests überwiegen. Andere verfolgen möglicherweise einen vorsichtigeren Ansatz, da sie Bedenken hinsichtlich einer Überbehandlung oder falsch positiver Ergebnisse haben.

Männer sollten überlegen, wie das Prostata-Screening und mögliche Therapien in ihre allgemeinen Gesundheits- und Lebensziele passen. Zum Beispiel können jüngere Männer mit einer starken familiären Vorgeschichte von Prostatakrebs

regelmäßige Vorsorgeuntersuchungen und frühzeitige Maßnahmen priorisieren, während ältere Männer mit anderen gesundheitlichen Problemen einen vorsichtigeren Ansatz bei der Überwachung ihrer Prostatagesundheit verfolgen können. Es ist auch wichtig zu berücksichtigen, wie sich die Auswahl der Behandlung auf die Lebensqualität auswirkt, z. B. die möglichen Nebenwirkungen von Medikamenten oder Operationen.

Die Risiken und Vorteile verstehen

Jede medizinische Entscheidung erfordert die Abwägung der Risiken und

Belohnungen. Prostata-Screenings, wie z. B. der PSA-Test, sind nicht ideal. Sie können Prostatakrebs zwar frühzeitig erkennen, aber auch zu einer Überdiagnose führen. Einige

Prostatatumoren schreiten so langsam voran, dass sie möglicherweise nie Symptome oder gesundheitliche Probleme verursachen. Die Behandlung dieser langsam wachsenden Tumore kann zu unnötigen Nebenwirkungen wie Inkontinenz oder erektiler Dysfunktion führen, die die Lebensqualität eines Mannes erheblich beeinträchtigen können.

Gleichzeitig kann das Screening Leben retten, indem es

schwere bösartige Erkrankungen frühzeitig erkennt, wenn sie besser behandelbar sind. Wenn Männer den Kompromiss zwischen Risiken und Nutzen verstehen, können sie Entscheidungen treffen, die ihre gesundheitlichen Prioritäten und persönlichen Umstände am besten widerspiegeln. Dieses Verfahren kann ein ausführliches Gespräch mit Gesundheitsexperten beinhalten, um die Screening- und Behandlungsansätze je nach individuellem Gesundheitszustand und Präferenzen anzupassen.

Die Funktion der persönlichen Gesundheitsverantwortung
Informierte Entscheidungsfindung ist ein gemeinsamer Prozess, aber die Person ist letztendlich verantwortlich. Verantwortung für gesundheitliche Entscheidungen zu übernehmen bedeutet, proaktiv Informationen zu sammeln,

Fragen zu stellen und alle verfügbaren Optionen zu prüfen. Männer, die sich aktiv an ihrer Gesundheitsversorgung beteiligen, fühlen sich mit größerer Wahrscheinlichkeit selbstbestimmt, selbstbewusst und zufrieden mit ihren Entscheidungen.

Männer können fundierte Entscheidungen über die Gesundheit der Prostata treffen, die auf ihre Umstände zugeschnitten sind, indem sie Informationen sammeln, sich

mit vertrauenswürdigen Gesundheitsspezialisten beraten und persönliche Überzeugungen berücksichtigen. Diese Strategie verbessert nicht nur die Gesundheitsergebnisse, sondern gibt den Patienten auch ein Gefühl der Kontrolle und des Vertrauens in die Kontrolle über ihre Prostatagesundheit und ihr allgemeines Wohlbefinden.

RISIKOMINDERUNG DURCH EINHALTUNG DES SCREENING-PROTOKOLLS

Das Prostata-Screening ist eine wesentliche Technik zur Früherkennung und Vorbeugung von Prostataerkrankungen, einschließlich Prostatakrebs. Die Effizienz des Screenings hängt jedoch in erster Linie von der Einhaltung definierter Richtlinien ab, die potenzielle Gefahren reduzieren und die Vorteile einer frühzeitigen Erkennung maximieren sollen. Männer, die die vorgeschriebenen Prostata-Screening-Protokolle befolgen, können das Risiko von Problemen senken, unnötige Behandlungen verhindern und ihre langfristigen Gesundheitsergebnisse verbessern.

Screening und Prostatagesundheit

Das Prostata-Screening soll dazu dienen, Auffälligkeiten in der Prostata frühzeitig zu entdecken, bevor sie sichtbare Symptome hervorrufen. Der Prostata-spezifische Antigen (PSA)-Test und der Digital Rectal

Untersuchungen (DRE) sind die beliebtesten Screening-Methoden. Diese Tests helfen zwar, mögliche Probleme wie Prostatakrebs zu erkennen, sind aber nicht ganz zuverlässig. Die Einhaltung von Screening-Standards trägt dazu bei, dass Männer genaue und schnelle Diagnosen erhalten, die eine angemessene Nachsorge und Behandlung bei Bedarf ermöglichen.

Screening-Protokolle berücksichtigen Alter, Familienanamnese, Rasse und allgemeine Gesundheit, die alle das Risiko von Prostataerkrankungen beeinflussen können. Männer mit einer familiären Vorgeschichte von Prostatakrebs sowie Männer afroamerikanischer Herkunft haben ein höheres Risiko und müssen möglicherweise früher und regelmäßiger mit dem Screening beginnen. Das Befolgen dieser individuellen Anweisungen verringert die Wahrscheinlichkeit von Krebsdiagnosen im Spätstadium, die schwieriger zu behandeln sind.

Wie wichtig es ist, die Screening-Richtlinien zu befolgen.

Das Prostata-Screening folgt keiner Einheitsstrategie. Fachärzte verschreiben Screening-Intervalle in Abhängigkeit von individuellen Risikofaktoren. Durch die Befolgung dieser Richtlinien können Männer das Fortschreiten von Prostataerkrankungen verhindern, die sonst unentdeckt bleiben würden. Eine frühzeitige Erkennung durch Routine-Screenings kann zu mehr Behandlungsmöglichkeiten führen, von denen einige weniger invasiv und in den frühen Stadien der Erkrankung wirksamer sind.

Die meisten Männer beginnen im Alter von 50 Jahren mit dem Prostata-Screening, aber diejenigen, die ein höheres Risiko haben, sollten früher damit beginnen, in der Regel im Alter von 40 oder 45 Jahren. Regelmäßige PSA-Tests und DREs ermöglichen es Gesundheitsdienstleistern, die Veränderungen der Prostatagesundheit im Laufe der Zeit zu überwachen. Zusätzliche diagnostische Tests, wie z. B. eine Biopsie oder bildgebende Scans, können vorgeschlagen werden, wenn Unregelmäßigkeiten entdeckt werden. Die Einhaltung des empfohlenen Zeitrahmens für diese Untersuchungen stellt sicher, dass Anomalien frühzeitig erkannt werden, wenn die Therapie am erfolgreichsten ist.

Senkung des Risikos von Überdiagnosen und Überbehandlungen.

Eine der Schwierigkeiten beim Prostata-Screening ist das Risiko einer Überdiagnose, das auftritt, wenn ein Screening-Test einen langsam wachsenden Krebs erkennt, der möglicherweise nie Symptome zeigt oder eine ernsthafte Bedrohung für die Gesundheit eines Mannes darstellt. Eine Früherkennung ist zwar wichtig, aber nicht alle Prostatatumoren erfordern eine schnelle Behandlung. Manche Tumoren schreiten so langsam voran, dass sie die Lebenserwartung eines Mannes wahrscheinlich nicht verkürzen werden. In vielen Fällen kann eine Überbehandlung – unnötige medizinische Eingriffe – zu unerwünschten Nebenwirkungen führen, einschließlich Inkontinenz oder erektiler Dysfunktion.

Männer, die die Screening-Richtlinien befolgen, können ihre Chancen verringern, überdiagnostiziert und überbehandelt zu werden. In vielen Fällen können Ärzte eine aktive Überwachung vorschlagen, was bedeutet, dass Prostatatumoren mit niedrigem Risiko ständig überwacht werden, ohne eine sofortige Behandlung durchzuführen. Diese Strategie ermöglicht es Männern,

Vermeiden Sie die nachteiligen Auswirkungen von Operationen oder Bestrahlungen und überwachen Sie gleichzeitig das Wachstum des Krebses. Regelmäßige PSA-

Tests und DREs sowie regelmäßige Biopsien können dabei helfen, festzustellen, ob der Tumor langsam wächst oder fortschreitet, woraufhin eine Therapie erforderlich sein kann.

Die Befolgung von Screening-Protokollen ermöglicht es Ärzten, fundierte Entscheidungen darüber zu treffen, wann eine aktive Überwachung im Vergleich zu aggressiveren Therapien verordnet werden sollte. Diese Strategie balanciert den Bedarf an Früherkennung und das Ziel, unnötige medizinische Eingriffe zu reduzieren.

Umgang mit Angst und Unsicherheit

Viele Männer haben Angst vor häufigen Prostatauntersuchungen, insbesondere wenn sie eine familiäre Vorgeschichte von Prostatakrebs haben oder wenn ein kürzlich durchgeführter Test erhöhte PSA-Werte ergab. Das Befolgen von Screening-Methoden kann jedoch dazu beitragen, Unklarheiten zu verringern, indem

Regelmäßige Updates zur Gesundheit der Prostata. Routineuntersuchungen bieten Männern und ihren medizinischen Fachkräften ein vollständiges Bild ihrer Gesundheit, was bessere Entscheidungen ermöglicht und die Angst vor dem Unbekannten minimiert.

Darüber hinaus enthalten Screening-Schemata Anweisungen zur Interpretation der Testergebnisse. Zum Beispiel deutet ein einzelner erhöhter PSA-Wert nicht immer auf Malignität hin. Der PSA-Spiegel kann sich aufgrund einer Vielzahl von Faktoren ändern, darunter Alter, Prostatainfektionen und kürzliche sexuelle Aktivität. Ärzte können die Ursache für erhöhte PSA-Werte besser beurteilen und herausfinden, ob weitere Maßnahmen durch Wiederholung der Tests oder den Einsatz zusätzlicher Diagnoseinstrumente gerechtfertigt sind.

Die Einhaltung dieser Regeln hilft Männern auch, ihre

persönlichen Risikofaktoren zu verstehen und präventive Maßnahmen zu ergreifen, um ihre Gesundheit zu managen. Der regelmäßige Austausch mit Gesundheitsexperten lindert Ängste und fördert einen kooperativen Ansatz im Gesundheitsmanagement der Prostata.

Langfristige gesundheitliche Vorteile der Befolgung von Screening-Protokollen

Das Prostata-Screening ist eine präventive Maßnahme, die darauf abzielt, die Wahrscheinlichkeit zu verringern, an fortgeschrittenem Prostatakrebs und anderen gefährlichen Krankheiten zu erkranken. Durch die Einhaltung von Screening-Schemata können Männer die Vorteile der Früherkennung voll ausschöpfen. Im Falle von Prostatakrebs

zum Beispiel führt eine frühzeitige Intervention in der Regel zu weniger invasiven Behandlungsmöglichkeiten, wie z. B. gezielten Medikamenten oder minimalinvasiven Operationen, die die Genesungszeit und die Lebensqualität verbessern können.

Regelmäßige Vorsorgeuntersuchungen ermöglichen es den Ärzten auch, andere Prostataerkrankungen zu identifizieren, einschließlich der gutartigen Prostatahyperplasie (BPH) oder der Prostatitis, die unangenehme Symptome verursachen können, aber sehr gut heilbar sind. Wenn Sie diese Bedenken frühzeitig angehen, können Sie spätere Folgen wie Harnverhalt oder Nierenschäden verhindern und gleichzeitig die allgemeine Gesundheit und das Wohlbefinden erhalten.

Prostata-Screening-Techniken sind wichtige Instrumente zur Erhaltung der Prostatagesundheit. Männer, die diese Richtlinien befolgen, können ihr Risiko für Prostatakrebs und Überbehandlung senken und gleichzeitig von einer frühzeitigen Erkennung und wirksamen Therapien profitieren. Die Zusammenarbeit mit Gesundheitsdienstleistern bei der Umsetzung dieser Richtlinien ist entscheidend, um die Gesundheit der Prostata zu erhalten und die besten potenziellen Ergebnisse zu erzielen.

PSA-PRÜFUNG

Vor-, Nachteile und Vorteile

Der Test auf das prostataspezifische Antigen (PSA) ist eine der am häufigsten verwendeten Methoden zur Früherkennung von Prostataproblemen, einschließlich Prostatakrebs. Der Test untersucht die Menge an PSA, einem Protein, das von der

Prostata produziert wird, im Blutkreislauf eines Mannes. Während PSA-Tests zu einem akzeptierten Aspekt des Prostatagesundheitsmanagements geworden sind, bieten sie beide Vorteile

und Nachteile. Das Verständnis der Vor- und Nachteile und Vorteile von PSA-Tests kann Männern helfen, fundiertere Gesundheits- und Screening-Entscheidungen zu treffen.

Wie funktioniert der PSA-Test?

PSA ist ein Protein, das auf natürliche Weise von der Prostata produziert wird und in Spuren im Blut gesunder Männer vorkommt. Erhöhte PSA-Werte können jedoch auf eine Vielzahl von Prostataerkrankungen hinweisen, darunter gutartige Prostatahyperplasie (BPH), Prostatitis und Prostatakrebs. Der PSA-Test ist ein einfacher Bluttest, der den PSA-Spiegel im Blutkreislauf bestimmt.

Erhöhte PSA-Werte können weitere Untersuchungen mit anderen diagnostischen Verfahren wie einer digitalen rektalen Untersuchung (DRE), einer Prostatabiopsie oder bildgebenden Untersuchungen erforderlich machen. Der PSA-Test kann zwar helfen, mögliche Prostataanomalien aufzudecken, ist aber keine endgültige Diagnose von Prostatakrebs. Daher wird es häufig in Verbindung mit anderen Tests verwendet.

1. Früherkennung von Prostatakrebs:

Einer der bemerkenswertesten Vorteile von PSA-Tests ist das Potenzial, Prostatakrebs frühzeitig zu erkennen, häufig bevor Symptome auftreten. Eine frühzeitige Erkennung ist von entscheidender Bedeutung, da Prostatakrebs effektiver behandelt werden kann und den Patienten ein breiteres Spektrum an Behandlungsmöglichkeiten bietet. Viele Männer mit Prostatakrebs im Frühstadium sind Kandidaten für weniger invasive Behandlungen, die zu besseren Ergebnissen und einer höheren Überlebenswahrscheinlichkeit führen.

2. Überwachen Sie die Gesundheit der Prostata im Laufe der Zeit:

Regelmäßige PSA-Tests helfen Ärzten, Schwankungen des

PSA-Spiegels im Laufe der Zeit zu verfolgen und geben ihnen Einblick in die Gesundheit der Prostata. Ein steigender PSA-Wert könnte auf das Vorhandensein eines Problems hindeuten, das zusätzliche Untersuchungen erforderlich macht. Diese kontinuierliche Überwachung hält Männer über ihre

Prostatagesundheit auf dem Laufenden und ermöglicht es den Gesundheitsdienstleistern, sofort zu reagieren, wenn auffällige Veränderungen festgestellt werden.

3. Personalisierte Screening-Pläne:

PSA-Tests sind häufig Teil einer umfassenderen, personalisierten Strategie für das Prostata-Screening. Männer mit signifikanteren Risikofaktoren, wie z. B. Prostatakrebs in der Familienanamnese oder Afroamerikaner, benötigen möglicherweise häufigere Vorsorgeuntersuchungen. PSA-Tests ermöglichen maßgeschneiderte Screening-Strategien, die persönliche Risikovariablen berücksichtigen, was zu einer personalisierteren Behandlung führt.

4. Geringeres Risiko für fortgeschrittenen Krebs:

Männer, die regelmäßig PSA-Tests erhalten, haben ein geringeres Risiko, an fortgeschrittenem Prostatakrebs zu erkranken. Krebs zu erkennen, bevor er sich auf andere

Körperregionen wie Knochen oder Lymphknoten ausbreitet, ist entscheidend für eine erfolgreiche Therapie. Die PSA-Testung ist eine Methode, um Krebs frühzeitig zu erkennen, wenn er noch auf die Prostata beschränkt und leichter zu behandeln ist.

Nachteile von PSA-Tests

1. Falsch positive Ergebnisse:

Eines der Hauptprobleme bei PSA-Tests ist die Möglichkeit falsch positiver Ergebnisse. PSA-Werte, die über dem Normalwert liegen, signalisieren nicht immer Krebs; Sie können auch durch nicht-krebsartige Erkrankungen wie BPH oder Infektionen wie Prostatitis hervorgerufen werden. Dies kann zu übermäßiger Besorgnis und aufdringlicheren Tests führen, wie z. B. Biopsien, die möglicherweise nicht erforderlich waren.

2. Überdiagnose und Behandlung:

PSA-Tests können gelegentlich langsam wachsende Prostatatumoren erkennen, die möglicherweise nie Symptome verursachen oder lebensbedrohlich werden. Diese Tendenz, die als Überdiagnose bekannt ist, kann zu einer

Überbehandlung führen. Einige Männer mit Prostatakrebs mit niedrigem Risiko können sich Behandlungen wie Operationen oder Bestrahlungen unterziehen, die schwerwiegende

Nebenwirkungen wie Inkontinenz oder erektile Dysfunktion haben können, auch wenn ihr Krebs noch nie aufgetreten ist beeinträchtigte ihre Lebensqualität.

3. Unsicherheit in Bezug auf den PSA-Wert:

PSA-Werte können sich aus einer Vielzahl von Gründen ändern, darunter Alter, kürzliche sexuelle Aktivität und Prostataentzündung. Ein einzelner erhöhter PSA-Wert signalisiert nicht immer ein Problem, und viele Tests können erforderlich sein, um ein vollständiges Bild der Prostatagesundheit zu erhalten. Diese Unvorhersehbarkeit kann die angemessene Interpretation von Testergebnissen erschweren, was zu unnötigen Nachuntersuchungen oder Behandlungen führt.

Vorteile von PSA-Tests:

1. Potenzial, Leben zu retten:

Trotz ihrer Einschränkungen können PSA-Tests Leben retten, indem Prostatakrebs frühzeitig erkannt wird. Wenn Krebs frühzeitig erkannt wird, ist die Überlebensrate viel höher und die Therapie ist mit größerer Wahrscheinlichkeit wirksam.

Männer, die sich häufig PSA-Screenings unterziehen, sind mit größerer Wahrscheinlichkeit

bei denen Prostatakrebs diagnostiziert wird, wenn er noch behandelbar ist.

2. Seelenfrieden:

Für viele Männer bieten häufige PSA-Tests Sicherheit. Wenn Sie wissen, dass Ihre Prostatagesundheit untersucht wird und dass Anomalien frühzeitig erkannt werden, können Sie sich weniger Sorgen um Prostatakrebs machen. Selbst wenn weitere Tests erforderlich sind, liefern PSA-Tests hilfreiche Informationen, um Entscheidungen im Gesundheitswesen zu treffen.

3. Aktive Überwachung bei Krebs mit niedrigem Risiko:

PSA-Tests werden häufig als Teil einer aktiven Überwachungsstrategie für Personen mit Prostatakrebs mit niedrigem Risiko eingesetzt. Anstelle einer dringenden Behandlung können Männer mit langsam wachsenden Malignomen mit regelmäßigen PSA-Tests und anderen

Untersuchungen untersucht werden. Dies hilft ihnen, unnötige

Therapien zu vermeiden, während sie

Kontinuierliche Überwachung des Krebses auf Entwicklungssymptome.

PSA-Tests haben erhebliche Vorteile für die Früherkennung und Überwachung von Prostatakrebs, haben aber auch Grenzen. Das Verständnis der Vor- und Nachteile des Tests kann Männern helfen, fundierte Entscheidungen darüber zu treffen, ob ein PSA-Test für sie geeignet ist. Regelmäßige Gespräche mit Gesundheitsdienstleistern über persönliche Risikofaktoren, die Familienanamnese und den allgemeinen Gesundheitszustand können zu einem persönlicheren Ansatz für das Prostata-Screening führen und sicherstellen, dass Männer die Versorgung erhalten, die für ihre Bedürfnisse am besten geeignet ist. Männer können ihre Chancen auf langfristiges Wohlbefinden verbessern, indem sie proaktiv bleiben und sich ihrer Prostatagesundheit bewusst sind.

KAPITEL 4: GANZHEITLICHE ANSÄTZE FÜR DIE GESUNDHEIT DER PROSTATA

GESUNDHEIT UND ERNÄHRUNG DER PROSTATA

Die Erhaltung der Prostatagesundheit ist für die allgemeine Gesundheit von Männern von entscheidender Bedeutung, insbesondere im Alter. Während medizinische Behandlungen und Tests von entscheidender Bedeutung sind, ist die Ernährung auch eine wirksame Strategie zur Förderung der Prostatagesundheit. Eine ausgewogene Ernährung, die reich an bestimmten Nährstoffen ist, kann das Auftreten von Prostataerkrankungen wie gutartiger Prostatahyperplasie (BPH), Prostatitis und sogar Prostatakrebs senken. Das Verständnis, wie sich die richtigen Lebensmittel auf die Gesundheit der Prostata auswirken, ermöglicht es Männern, fundierte Ernährungsentscheidungen zu treffen, die ihr

Wohlbefinden verbessern können.

Die Bedeutung der Ernährung für die Gesundheit der Prostata

Trotz ihrer winzigen Größe kann die Ernährung die Prostata erheblich beeinflussen. Untersuchungen zeigen, dass bestimmte Lebensmittel und Nährstoffe dazu beitragen können, die Prostata vor Entzündungen und Krankheiten zu schützen, während andere das Risiko für Prostataprobleme erhöhen können. Ein umfassender Ansatz für die Gesundheit der Prostata betont die Ernährung als präventives Instrument und unterstützt die natürliche Fähigkeit des Körpers, eine gute Prostatafunktion aufrechtzuerhalten.

Lebensmittel für die Gesundheit der Prostata

1. Tomaten und Lycopin:

Tomaten enthalten Lycopin, ein starkes Antioxidans, das auf seine gesundheitlichen Vorteile für die Prostata untersucht wurde. Lycopin bekämpft oxidativen Stress und Entzündungen, zwei Elemente, die zu Prostatabeschwerden führen können. Studien zufolge ist bei Männern, die mehr Lycopin zu sich nehmen, die Wahrscheinlichkeit, an Prostatakrebs zu erkranken, geringer. Das Kochen von

Tomaten setzt mehr frei

Lycopin, das die Absorption verbessert. Zu den Lebensmitteln mit hohem Lycopingehalt gehören Tomatensauce, -paste und -suppe.

2. Kreuzblütlergemüse:

Kreuzblütler wie Brokkoli, Blumenkohl, Rosenkohl und Grünkohl sind für ihre krebsbekämpfenden Fähigkeiten bekannt. Dieses Gemüse enthält Chemikalien wie Sulforaphan, die dazu beitragen können, das Risiko von Prostatakrebs zu verringern, indem sie die Entfernung gefährlicher Schadstoffe aus dem Körper erhöhen. Der regelmäßige Verzehr von Kreuzblütlern ist mit einem geringeren Risiko für Prostatakrebs und andere chronische Krankheiten verbunden.

3. Fetter Fisch und Omega-3-Fettsäuren:

Omega-3-Fettsäuren, die in fettem Fisch wie Lachs, Makrele, Sardinen und Thunfisch enthalten sind, haben entzündungshemmende Wirkungen, die der Gesundheit der Prostata zugute kommen. Chronische Entzündungen sind ein Risikofaktor für die Prostata

Probleme, und der Verzehr von Omega-3-reichen Mahlzeiten kann helfen, Entzündungen im Körper zu reduzieren. Omega-3-Fettsäuren wirken sich auch positiv auf das Herz und die allgemeine Gesundheit aus, was sie zu einem wesentlichen Bestandteil einer gesunden Ernährung für Männer macht, die ihre Prostatagesundheit verbessern möchten.

4. Nüsse und Samen:

Nüsse und Samen, insbesondere solche mit hohem Zinkgehalt, wie Kürbiskerne, sind gut für die Gesundheit der Prostata. Zink ist ein Mineral, das für die Funktion der Prostata unerlässlich ist, und niedrige Zinkspiegel wurden mit einem erhöhten Risiko für Prostatawachstum und Krebs in Verbindung gebracht. Nehmen Sie zinkreiche Lebensmittel wie Samen, Nüsse und Hülsenfrüchte zu sich, um eine optimale Aufnahme zu gewährleisten und die Gesundheit der Prostata zu fördern.

5. Grüner Tee:

Grüner Tee enthält starke Antioxidantien, sogenannte Catechine, von denen gezeigt wurde, dass sie die

Gesundheit der Prostata. Catechine können das Risiko für Prostatakrebs senken, indem sie die Vermehrung von

Krebszellen verringern. Regelmäßiges Trinken von grünem Tee ist eine einfache Methode, um diese starken Antioxidantien in Ihren Alltag aufzunehmen.

6. Beeren und andere antioxidantienreiche Lebensmittel:

Beeren, einschließlich Heidelbeeren, Erdbeeren und Brombeeren, sind reich an Antioxidantien, die die Prostata vor oxidativen Schäden schützen. Diese Früchte sind auch reich an Vitamin C, das das Immunsystem stärkt und Entzündungen reduziert. Die Aufnahme verschiedener antioxidantienreicher Früchte in Ihre Ernährung trägt zur Verbesserung der Prostatagesundheit bei.

Lebensmittel, die Sie einschränken oder vermeiden sollten:

1. Rotes und verarbeitetes Fleisch:

Eine Ernährung, die viel rotes und verarbeitetes Fleisch enthält, wurde mit einem erhöhten Risiko für Prostatakrebs in Verbindung gebracht. Diese

Lebensmittel sind häufig reich an gesättigten Fetten, die zu

Entzündungen beitragen und die allgemeine Gesundheit schädigen. Die Begrenzung des Verzehrs von rotem Fleisch und die Entscheidung für magere Proteinquellen wie Geflügel oder pflanzliche Alternativen können der Gesundheit der Prostata zugute kommen.

2. Fettreiche Milchprodukte:

Fettreiche Milchprodukte, einschließlich Vollmilch, Käse und Butter, wurden mit einem erhöhten Risiko für Prostataprobleme in Verbindung gebracht. Diese Lebensmittel können den Cholesterinspiegel erhöhen und das Risiko erhöhen, an BPH oder Prostatakrebs zu erkranken. Die Umstellung auf fettarme oder pflanzliche Milchalternativen kann dazu beitragen, diese Gefahren zu mindern.

3. Alkohol und Kaffee:

Übermäßiger Konsum von Alkohol und Koffein kann die Blase und Prostata reizen und Harnwegsbeschwerden verursachen, insbesondere bei Männern mit BPH. Mäßigung ist entscheidend,

Und die Begrenzung des Konsums bestimmter Getränke trägt

zur Verbesserung der Prostatagesundheit bei und lindert die Symptome einer Prostatavergrößerung.

Flüssigkeitszufuhr und Gesundheit der Prostata.

Die richtige Flüssigkeitszufuhr ist für die Aufrechterhaltung der Harn- und Prostatafunktion unerlässlich. Viel Wasser zu trinken hilft, die Harnwege zu spülen und senkt die Wahrscheinlichkeit von Infektionen, die die Prostata schädigen können. Eine moderate Flüssigkeitsaufnahme am Abend kann jedoch dazu beitragen, nächtliche Toilettenausflüge zu reduzieren, insbesondere bei Männern mit BPH-Symptomen.

Die Rolle von Nahrungsergänzungsmitteln

Während ganze Mahlzeiten die beste Nährstoffquelle sind, können bestimmte Männer von Nahrungsergänzungsmitteln zur Prostatagesundheit profitieren. Es wurde festgestellt, dass Nahrungsergänzungsmittel, die Sägepalme, Lycopin oder Zink enthalten, die Prostatafunktion verbessern und die Symptome der Prostata reduzieren

Vergrößerung. Bevor Sie Nahrungsergänzungsmittel zu Ihrer Routine hinzufügen, sprechen Sie mit Ihrem Arzt, um zu bestätigen, dass sie für Ihre gesundheitlichen Bedürfnisse geeignet sind.

Die Ernährung ist wichtig für die Erhaltung der Prostatagesundheit und die Vorbeugung von altersbedingten Prostataproblemen. Männer können die natürlichen

Abwehrkräfte ihrer Prostata unterstützen, indem sie sich antioxidantienreich mit Obst und Gemüse, gesunden Fetten und mageren Proteinen ernähren. Die Begrenzung des Verzehrs von verarbeiteten Lebensmitteln, fettreichen Milchprodukten und rotem Fleisch trägt zu einem umfassenderen Ansatz für das Wohlbefinden der Prostata bei, was zu besseren gesundheitlichen Ergebnissen führt, wenn Männer älter werden.

STRATEGIEN ZUR NAHRUNGSERGÄNZUNG

Was funktioniert und warum

Mit zunehmendem Alter wird die Erhaltung der Prostatagesundheit immer wichtiger, insbesondere angesichts der Gefahren, die mit der gutartigen Prostatahyperplasie (BPH) verbunden sind.

Prostatitis und Prostatakrebs. Nahrungsergänzung, eine gute Ernährung und häufige ärztliche Untersuchungen können ein wesentlicher Bestandteil eines umfassenden Ansatzes für das Wohlbefinden der Prostata sein. Nahrungsergänzungsmittel sind zwar kein Heilmittel, aber sie können helfen, die Gesundheit der Prostata zu fördern, die Symptome zu lindern

und das allgemeine Wohlbefinden zu verbessern. Zu verstehen, welche Nahrungsergänzungsmittel wirken und warum sie wirken, ist entscheidend für die Implementierung in ein Prostatagesundheitsprogramm.

1. Sägepalme.

Sägepalme ist ein bekanntes und umfangreich erforschtes Nahrungsergänzungsmittel für die Gesundheit der Prostata. Es wird aus der Frucht der Serenoa repens-Pflanze gewonnen und wird seit langem zur Behandlung von BPH-bedingten Harnsymptomen wie häufigem Wasserlassen, Schwierigkeiten beim Wasserlassen und schwachem Urinfluss eingesetzt. Es wird angenommen, dass Sägepalme wirkt, indem sie das Enzym 5-Alpha-Reduktase blockiert, das Testosteron in Dihydrotestosteron (DHT) umwandelt, ein Hormon, das mit dem Prostatawachstum verbunden ist.

Studien über die Wirksamkeit der Sägepalme haben

widersprüchliche Ergebnisse erbracht, aber viele Männer berichten von einer Linderung von Blasenproblemen nach regelmäßiger Anwendung. Es gilt als sichere, natürliche Wahl zur Erhaltung der Prostatagesundheit, insbesondere für

Menschen mit leichten bis mittelschweren BPH-Symptomen. Konsultieren Sie vor der Einnahme von Sägepalme einen Gesundheitsexperten, um festzustellen, ob sie für Ihre

Bedürfnisse geeignet ist.

2. Lycopin.

Lycopin, ein starkes Antioxidans in Tomaten und anderen roten Lebensmitteln, hat wegen seiner möglichen Vorteile für die Gesundheit der Prostata Aufmerksamkeit erregt. Antioxidantien schützen die Zellen vor oxidativem Stress, der zur Entstehung chronischer Krankheiten wie Prostatakrebs führen kann. Es wird vorgeschlagen, dass Lycopin das Risiko für Prostatakrebs senkt, indem es freie Radikale neutralisiert und die natürlichen Abwehrkräfte des Körpers stärkt.

Mehrere Studien haben ergeben, dass Männer mit höheren

Der Lycopinspiegel in der Ernährung oder im Blut hat ein

verringertes Risiko, an Prostatakrebs zu erkranken. Eine Nahrungsergänzung ist eine praktische Option, um den Lycopinverbrauch für diejenigen zu erhöhen, die nicht genug aus Nahrungsquellen wie gekochten Tomaten, Wassermelonen oder rosa Grapefruit zu sich nehmen. Ein Lycopin-Präparat kann die Gesundheit der Prostata verbessern, indem es vor Zellschäden und Entzündungen schützt.

3. Zink

Zink ist für die Gesundheit der Prostata unerlässlich, da es viele zelluläre Aktivitäten wie Immunaktivität und Hormonregulation umfasst. Die Prostata enthält mehr Zink als die meisten anderen Organe im Körper, und es gibt Hinweise darauf, dass Männer mit Prostataerkrankungen, insbesondere BPH, einen niedrigeren Zinkspiegel haben können.

Eine Zinksupplementierung wurde auf ihre Fähigkeit untersucht, die Symptome einer Prostatavergrößerung zu lindern. Es wird angenommen, dass Zink wie Sägepalme

hemmen die Aktivität der 5-alpha-Reduktase, die den DHT-Spiegel senkt. Darüber hinaus fördert Zink die immunologische Funktion, die zur Senkung der

Prostataentzündung notwendig ist. Zink kann aus Lebensmitteln wie Kürbiskernen, Schweinefleisch und Hülsenfrüchten gewonnen werden, aber Nahrungsergänzungsmittel sind konzentrierter für Menschen, die zusätzliche Hilfe benötigen.

4. Selen

Selen ist ein weiteres Antioxidans, das die Gesundheit der

Prostata fördert. Dieses Spurenelement ist für eine gesunde immunologische Funktion notwendig und wurde mit einem geringeren Risiko für Prostatakrebs in Verbindung gebracht. Selen reduziert oxidativen Stress und Entzündungen, die zur Krebsentstehung beitragen können.

Die Forschung über die Rolle von Selen bei der Prävention von Prostatakrebs war positiv, während einige Studien zeigen, dass Männer mit einem niedrigeren Selenspiegel zu Studienbeginn stärker profitieren. Paranüsse sind eine ausgezeichnete natürliche Quelle für Selen, aber Nahrungsergänzungsmittel sind eine praktikable

Wahl für diejenigen, die nicht genug von diesem Mineral allein aus ihrer Ernährung erhalten. Wie andere Antioxidantien wirkt

Selen am besten, wenn es mit einer ausgewogenen, vollwertigen Ernährung kombiniert wird.

5. Beta-Sitosterol

Beta-Sitosterol ist eine pflanzliche Substanz, die in Obst, Gemüse, Nüssen und Samen vorkommt. Es wurde festgestellt, dass es hilft, Harnwegssymptome im Zusammenhang mit BPH zu lindern, indem es den Urinfluss erhöht und Schmerzen lindert. Beta-Sitosterol reduziert Entzündungen in der Prostata und fördert die allgemeine Prostatafunktion.

Beta-Sitosterol-Ergänzungen können Männern mit Harnwegssymptomen wie Schwierigkeiten beim Starten oder Aufrechterhalten des Wasserlassens, häufigem nächtlichen Urin oder unvollständiger Blasenentleerung helfen. Studien zufolge kann Beta-Sitosterol diese Symptome dramatisch lindern, ohne einen Einfluss auf die Prostatavergrößerung zu haben, was es zu einer bevorzugten Behandlungsoption für BPH-bedingte Schmerzen macht.

6. Pygeum.

Pygeum, das aus der Rinde des afrikanischen Pflaumenbaums (Prunus africana) gewonnen wird, wird in der afrikanischen

Medizin seit langem zur Behandlung von Harnwegsproblemen eingesetzt. Es wird angenommen, dass Pygeum Entzündungen reduziert und ein gesundes hormonelles Gleichgewicht in der Prostata herstellt, was es für Männer mit BPH nützlich macht.

Mehrere klinische Untersuchungen haben gezeigt, dass Pygeum Harnwegssymptome wie verminderten Harnfluss und erhöhten Harndrang lindern kann, insbesondere bei Männern mit einer vergrößerten Prostata. Die entzündungshemmende Wirkung von Pygeum minimiert Ödeme in der Prostata, was zu einer verbesserten Urinfunktion führt. Um seine Wirkung zu maximieren, wird

es häufig in Verbindung mit anderen Nahrungsergänzungsmitteln für die Prostata, wie z. B. Sägepalme, eingenommen.

Auswahl der richtigen Ergänzungsstrategie.

Während Nahrungsergänzungsmittel für die Prostata von Vorteil sein können

Gesundheit ist es wichtig zu verstehen, dass nicht alle Nahrungsergänzungsmittel gleich sind. Qualität, Dosis und Bioverfügbarkeit (wie gut der Körper das

Nahrungsergänzungsmittel aufnimmt und verwertet) können von Ware zu Ware unterschiedlich sein. Männer sollten Nahrungsergänzungsmittel von vertrauenswürdigen Herstellern auswählen und medizinisches Fachpersonal konsultieren, um das beste Nahrungsergänzungsmittel zu finden.

Ein umfassender Ansatz für die Gesundheit der Prostata, einschließlich Nahrungsergänzungsmitteln, sollte mit einer gesunden Ernährung, häufiger körperlicher Aktivität und routinemäßigen Prostatatests kombiniert werden. Durch die Kombination dieser Aspekte können Männer proaktive Anstrengungen unternehmen, um die Gesundheit der

Prostata zu fördern und ihre Wahrscheinlichkeit zu verringern, im Alter an Prostataerkrankungen zu erkranken.

GEIST-KÖRPER-PRAKTIKEN FÜR DAS WOHLBEFINDEN DER PROSTATA

Zur Erhaltung der Prostatagesundheit gehört mehr als nur das körperliche Wohlbefinden. Geist-Körper-Techniken,

die die Beziehung zwischen geistiger und körperlicher

Gesundheit betonen, können sehr vorteilhaft für die Förderung des Wohlbefindens der Prostata sein. Stressbewältigung, Achtsamkeit und Entspannungsübungen können Männern helfen, ihre allgemeine Prostatagesundheit und Lebensqualität zu verbessern. Diese Techniken verbessern nicht nur die psychische Gesundheit, sondern haben auch körperliche Vorteile, die dazu beitragen können, die Symptome von Prostataerkrankungen wie gutartiger Prostatahyperplasie (BPH) und Prostatitis zu reduzieren.

Der Zusammenhang zwischen Stress und Prostatagesundheit

Chronischer Stress hat tiefgreifende Auswirkungen auf die körperliche Gesundheit, einschließlich der Prostata. Erhöhter Stresspegel kann zu verstärkten Entzündungen, Hormonstörungen und Muskelverspannungen führen, die alle die Prostatasymptome verschlimmern können. Stress kann zum Beispiel bei Männern, die an BPH oder Prostatitis leiden, Harnbeschwerden verschlimmern und die Behandlung erschweren. Geist-Körper-Techniken, die Stress abbauen kann helfen, diese Symptome zu lindern und gleichzeitig die allgemeine Gesundheit der Prostata zu unterstützen.

Cortisol, das wichtigste Stresshormon des Körpers, kann auch die Gesundheit der Prostata beeinträchtigen. Ein hoher Cortisolspiegel kann im Laufe der Zeit Entzündungen verursachen, das Immunsystem beeinträchtigen und möglicherweise zur Entwicklung von Prostataproblemen beitragen. Geist-Körper-Strategien zur Stressreduktion können helfen, Cortisol zu kontrollieren und die Auswirkungen von chronischem Stress auf die Prostata zu verringern.

Meditation und Achtsamkeit

Meditation und Achtsamkeit sind kraftvolle Techniken zum Stressabbau und zur Entspannung. Diese Aktivitäten tragen dazu bei, den Geist zu entspannen, Sorgen abzubauen und die emotionale Widerstandsfähigkeit zu erhöhen, was alles zu einer besseren Gesundheit der Prostata beiträgt. Regelmäßige Meditation senkt nachweislich Stresshormone und senkt den Blutdruck, was eine indirekte Auswirkung auf die Prostatafunktion.

Achtsamkeit bedeutet, präsent und voll und ganz in den gegenwärtigen Moment involviert zu bleiben, was den

Menschen hilft, ein besseres Verständnis für ihren Körper und ihre Gedanken zu erlangen. Achtsamkeit kann Männern mit Prostatasymptomen dabei helfen, zu verstehen, wie sich Stress auf ihren Körper auswirkt, und Techniken zu finden, um Spannungen abzubauen. Schon ein paar Minuten Achtsamkeitsmeditation täglich können das geistige und körperliche Wohlbefinden auf lange Sicht steigern.

Tiefes Atmen, Körperscans und geführte Bilder sind alles Techniken, die in ein Achtsamkeitsprogramm integriert werden können, um Männern zu helfen, die Muskeln rund um ihr Becken und ihre Prostata zu entspannen. Dies lindert einen Teil der Belastung, die zu Harnproblemen und anderen Prostatabeschwerden führen kann.

Yoga und körperliche Entspannung.

Yoga kombiniert körperliche Aktivität, Atemübungen,

und Bewusstsein, was es zu einer hervorragenden Möglichkeit macht, die Gesundheit der Prostata zu verbessern. Die Körperhaltungen von Yoga können die Flexibilität verbessern, die Beckenbodenmuskulatur stärken und Muskelverspannungen reduzieren, was die Prostatafunktion unterstützen kann. Regelmäßige Yogapraxis verbessert die Durchblutung im Beckenbereich, reduziert Entzündungen und verbessert die allgemeine Gesundheit der Prostata.

Zusätzlich zu seinen körperlichen Vorteilen hat sich gezeigt, dass Yoga Stress abbaut und die geistige Klarheit verbessert. Tiefes, kontrolliertes Atmen und nachdenkliche Bewegungen können Yoga-Praktizierenden helfen, Ängste zu lindern und einen ausgeglicheneren mentalen Zustand aufzubauen. Dies kann besonders nützlich für Männer sein, die Prostataprobleme haben, die durch Stress verschlimmert werden.

Bestimmte Yoga-Posen, wie z. B. sitzende Vorwärtsbeugen, Brückenhaltungen und sanfte Drehungen, sind besonders vorteilhaft für die Gesundheit der Prostata. Diese Posen konzentrieren sich auf den Beckenbereich, erhöhen die Durchblutung und lösen Verspannungen. Wenn diese

Positionen in eine tägliche Yogaübung integriert werden, können Männer mit Prostataproblemen auftreten

komfortabler und verbessern ihre Lebensqualität.

Tai Chi und Qigong

Tai Chi und Qigong sind alte chinesische Praktiken, die

langsame, bewusste Bewegungen, tiefes Atmen und geistige Konzentration beinhalten. Diese Techniken sind bekannt für ihren Stressabbau, ihre geistige Klarheit, ihr körperliches Gleichgewicht und ihre Flexibilität. Tai Chi und Qigong sind ideal für Männer, die moderate, schonende Übungen zur Verbesserung der Prostatagesundheit suchen.

Tai Chi und Qigong stimulieren den Energiefluss im ganzen Körper, was dazu beitragen kann, Entzündungen zu reduzieren und die Durchblutung der Prostata zu verbessern. Die Betonung der kontrollierten Atmung entspannt die Beckenmuskulatur und fördert eine bessere Urinfunktion, was besonders für Männer mit BPH oder Prostatitis von Vorteil ist. Darüber hinaus erzeugen diese Techniken ein Gefühl der Ruhe und Entspannung, was dazu beiträgt, Stress abzubauen und die allgemeine psychische Gesundheit zu verbessern.

Beckenbodenübung (Kegels)

Beckenbodenübungen, oft auch als Kegel-Übungen bekannt, sind ein einfacher, aber sehr effizienter Ansatz zur Stärkung der Muskeln, die die Blase und Prostata stützen. Bei diesen Übungen werden die Beckenbodenmuskulatur angespannt und entspannt, die für die Regulierung des Urins und die Verbesserung der Harnfunktion erforderlich ist.

Kegel-Übungen können Männern mit Prostataproblemen bei der Behandlung von Harnwegssymptomen helfen, einschließlich Inkontinenz, häufigem Wasserlassen und Schwierigkeiten, den Urinfluss zu starten und zu stoppen. Durch die Stärkung der Beckenbodenmuskulatur kann die Blasenkontrolle verbessert und der Druck auf die Prostata entlastet werden.

Kegel-Übungen können einfach in ein regelmäßiges Programm integriert werden. Regelmäßiges Üben kann Männern helfen, ihre Beckenmuskulatur zu stärken und ihre Prostatagesundheit und Urinfunktion zu verbessern.

Integration von Körper-Geist-Praktiken in den Alltag

Geist-Körper-Techniken können Männern helfen, Stress zu bewältigen, die geistige Klarheit zu verbessern und die Gesundheit der Prostata zu fördern. Diese Routinen in den Alltag zu integrieren, erfordert nicht viel Zeit; Schon wenige

Minuten täglich können eine erhebliche Wirkung haben. Achtsamkeit, Meditation, Yoga und sanfte Aktivitäten wie Tai Chi helfen, Stress abzubauen und das allgemeine Wohlbefinden zu steigern.

Männer, die einen ganzheitlichen Ansatz für die

Prostatagesundheit verfolgen, der sowohl geistige als auch körperliche Praktiken umfasst, können die Auswirkungen von Prostataproblemen verringern, ihre Lebensqualität verbessern und eine bessere allgemeine Gesundheit im Alter erhalten.

ERSTELLUNG EINES INTEGRIERTEN PLANS FÜR DIE PROSTATAVERSORGUNG

Die Gesundheit der Prostata ist für das Wohlbefinden von Männern von entscheidender Bedeutung, insbesondere im Alter. Anstatt sich ausschließlich auf konventionelle Therapien zu verlassen, sind viele Männer

Hinwendung zu integrativen Wegen zur Förderung der Prostatagesundheit. Ein integrativer Plan integriert traditionelle medizinische Behandlungen mit ganzheitlichen Praktiken, Ernährungsumstellungen und Änderungen des Lebensstils, um eine umfassende Strategie zur Erhaltung der

Prostatagesundheit und zur Vermeidung von Erkrankungen wie gutartiger Prostatahyperplasie (BPH) und Prostatakrebs zu entwickeln. Ein hervorragender integrierter Ansatz für die Prostataversorgung muss eine Vielzahl von gesundheitlichen

Aspekten berücksichtigen, darunter Ernährung, körperliche Aktivität, geistiges Wohlbefinden und regelmäßige medizinische Untersuchungen.

Die Komponenten der integrierten Prostataversorgung verstehen

Eine integrative Prostatagesundheitsstrategie richtet sich nicht nur an die Prostata, sondern an den gesamten Menschen. Dabei werden alle Elemente berücksichtigt, die die allgemeine Gesundheit und das Wohlbefinden beeinflussen, wie z. B. Stressbewältigung, immunologische Funktion, Hormonhaushalt und Entzündungsreduzierung. Ziel ist es,

Entwickeln Sie eine ganzheitliche Strategie, die eine gute Prostatafunktion fördert und gleichzeitig anderen gesundheitlichen Aspekten zugute kommt.

Schritt 1: Planen Sie regelmäßige medizinische Vorsorgeuntersuchungen.

Routinemäßige medizinische Vorsorgeuntersuchungen sind das Herzstück jeder integrativen Prostataversorgung. Regelmäßige Prostatauntersuchungen und Tests des prostataspezifischen Antigens (PSA) sind entscheidend, um Probleme frühzeitig zu erkennen, bevor sie sich verschlimmern. Diese Tests ermöglichen es Gesundheitsdienstleistern, die Gesundheit der Prostata im Laufe der Zeit zu verfolgen, und bieten die Möglichkeit, bei Bedarf frühzeitig einzugreifen.

Männer sollten ihren Arzt über ihre individuellen Risikofaktoren wie Alter, Familienanamnese und ethnische Zugehörigkeit konsultieren, um festzustellen, wann und wie häufig sie sich untersuchen lassen sollten. Männer mit einer familiären Vorgeschichte von Prostatakrebs, einschließlich solcher afrikanischer Herkunft, müssen möglicherweise früher mit dem Screening beginnen. Die Aufrechterhaltung regelmäßiger medizinischer Untersuchungen ist entscheidend für die langfristige Gesundheit der Prostata.

Schritt 2: Eine prostatafreundliche Ernährung.

Die Ernährung hat einen erheblichen Einfluss auf die Gesundheit der Prostata. Bestimmte Lebensmittel sind dafür bekannt, die Prostatafunktion zu verbessern, während andere Entzündungen verursachen und das Risiko von

Prostataerkrankungen erhöhen können. Eine integrierte

Ernährung sollte reich an Obst und Gemüse, Vollkornprodukten und gesunden Fetten sein, mit einer geringen Aufnahme von verarbeiteten Lebensmitteln, rotem Fleisch und fettreichen Milchprodukten.

Wichtige Lebensmittel, die Sie einbeziehen sollten:

Tomaten: Sie enthalten Lycopin, ein Antioxidans, das die Gesundheit der Prostata fördert und das Risiko für Prostatakrebs senken kann.

Kreuzblütler: Brokkoli, Blumenkohl und Rosenkohl enthalten Substanzen, die den Körper bei der Entgiftung und Bekämpfung von Krebs unterstützen.

- **Omega-3-Fettsäuren:** Diese Fette, die in fettem Fisch wie Lachs und Sardinen enthalten sind, bieten entzündungshemmende Eigenschaften, die der Prostata zugute kommen.

- **Beeren:** Reich an Antioxidantien, die die Zellen vor Schäden schützen und die allgemeine Gesundheit fördern.

- **Nüsse und Samen:** Quellen für Zink, ein Mineral, das für die Gesundheit der Prostata benötigt wird.

Wenn Sie diese Lebensmittel in Ihre tägliche Ernährung aufnehmen, können Sie Entzündungen reduzieren und die natürlichen Abwehrkräfte Ihres Körpers gegen Prostataprobleme stärken.

Schritt 3: Körperliche Aktivität und Gesundheit der Prostata

Regelmäßige Bewegung ist ein wesentlicher Bestandteil der Prostatapflege. Körperliche Aktivität fördert die Durchblutung, hilft bei der Gewichtskontrolle und verringert Entzündungen, was zu einer besseren Gesundheit der Prostata führt. Bewegung hilft auch, Hormone wie Testosteron zu kontrollieren, die das Wachstum und die Funktion der Prostata beeinflussen können.

Ein abgerundetes Fitnessprogramm mit Cardio-, Kraft- und Flexibilitätsübungen wird empfohlen. Gehen, Schwimmen, Yoga und Krafttraining können der allgemeinen Gesundheit und

verbessern die Harnfunktion, insbesondere bei Männern mit BPH.

Männer sollten sich bemühen, an den meisten Tagen der Woche mindestens 30 Minuten moderate Bewegung zu machen. Regelmäßige Aktivität fördert die Gesundheit der Prostata, indem sie die geistige Klarheit verbessert, Stress abbaut und das Energieniveau erhöht.

Schritt 4: Stressbewältigung und psychisches Wohlbefinden

Chronischer Stress kann die Gesundheit der Prostata schädigen, indem er Entzündungen verursacht und den Hormonhaushalt stört. Stressbewältigung ist ein integraler Bestandteil jeder integrativen Prostataversorgung. Meditation, Achtsamkeit und tiefe Atemübungen sind Beispiele für Geist-Körper-Praktiken, die Ihnen helfen können, sich zu entspannen und Stress abzubauen.

Yoga und Tai Chi sind besonders effektiv, weil sie körperliche Bewegung mit geistiger Bewegung verbinden

Aufmerksamkeit, Stress abbauen und gleichzeitig die Flexibilität und Muskelkraft erhöhen. Diese Praktiken können täglich durchgeführt werden, um Ängste zu lindern und einen gesunden Geisteszustand zu erhalten.

Männer können auch von Hobbys profitieren, Zeit mit ihren Lieben verbringen und an angenehmen und stressreduzierenden gesellschaftlichen Veranstaltungen teilnehmen. Sich Zeit zum Ausruhen und Entspannen zu nehmen, ist entscheidend für das Aufrechterhalten des geistigen und körperlichen Wohlbefindens.

Schritt 5: Nahrungsergänzungsmittel zur Unterstützung der Prostata

Nahrungsergänzungsmittel können dazu beitragen, einen integrierten Ansatz für die Prostatagesundheit zu fördern. Es wurde festgestellt, dass bestimmte Nahrungsergänzungsmittel, darunter Sägepalme, Zink und Lycopin, die Prostatafunktion verbessern und BPH-Symptome reduzieren. Fischölpräparate enthalten Omega-3-Fettsäuren, die Entzündungen lindern und die Herzgesundheit fördern können, was beides mit der Gesundheit der Prostata in Verbindung gebracht wird.

Bevor Sie mit der Einnahme von Nahrungsergänzungsmitteln beginnen, sollten Sie einen Arzt aufsuchen, um sicherzustellen, dass sie für Ihre spezifischen Bedürfnisse geeignet sind, und um Wechselwirkungen mit anderen Medikamenten zu vermeiden.

Schritt 6: Bleiben Sie informiert und engagiert

Ein integrativer Prostatagesundheitsplan sollte im Laufe der

Zeit wachsen, mit regelmäßigen Untersuchungen und

Anpassungen bei Bedarf. Um fundierte Entscheidungen über die Gesundheit der Prostata zu treffen, müssen Sie über neue Studien und Fortschritte auf dem Laufenden bleiben. Männer sollten einen offenen Austausch mit ihren Gesundheitsfachkräften pflegen und sich aktiv an deren Gesundheitsmanagement beteiligen.

Durch die Kombination von regelmäßigen medizinischen Untersuchungen, einer guten Ernährung, körperlicher Aktivität, Stressbewältigung und Nahrungsergänzung können Männer eine ganzheitliche, integrative Strategie entwickeln, die das Wohlbefinden der Prostata und die allgemeine Gesundheit fördert. Diese ausgewogene Strategie senkt die Wahrscheinlichkeit von Prostataerkrankungen und erhöht gleichzeitig die Langlebigkeit und Energie.

PFLANZLICHE HEILMITTEL UND NATÜRLICHE ANSÄTZE

Viele Männer machen sich mit zunehmendem Alter zunehmend Sorgen um ihre Prostatagesundheit. Während die traditionelle Behandlung bei der Behandlung von Problemen wie gutartiger Prostatahyperplasie (BPH), Prostatitis und

Prostatakrebs wirksam ist, bieten natürliche Techniken und pflanzliche Arzneimittel zusätzliche Unterstützung. Durch die Kombination dieser ganzheitlichen Lösungen mit der Standardversorgung können Männer einen umfassenderen Ansatz für die Gesundheit der Prostata verfolgen.

Pflanzliche Arzneimittel werden seit Generationen verwendet, um eine Vielzahl von Gesundheitszuständen zu verbessern, einschließlich der Prostata. Diese natürlichen Behandlungen zielen darauf ab, das innere Gleichgewicht zu fördern, Entzündungen zu senken und die Fähigkeit des Körpers zu verbessern, eine gesunde Prostata zu erhalten. Viele dieser Therapien werden durch wissenschaftliche Forschung unterstützt, die ihre potenziellen Vorteile für die Prostatafunktion und die allgemeine Gesundheit aufzeigt.

Sägepalme.

Die Sägepalme ist die bekannteste natürliche Therapie für die Gesundheit der Prostata. Es wird aus den Beeren der Serenoa repens-Pflanze gewonnen und wird traditionell zur Behandlung von Harnwegsproblemen im Zusammenhang mit einer vergrößerten Prostata verwendet. Dieses pflanzliche Nahrungsergänzungsmittel wird in der Regel für Männer empfohlen, die BPH-Symptome wie Schwierigkeiten beim Wasserlassen, häufiges Wasserlassen oder schlechten

Urinfluss haben.

Untersuchungen zufolge hemmt Palmetto das Enzym 5-Alpha-Reduktase, das Testosteron in Dihydrotestosteron (DHT) umwandelt. Sägepalme kann helfen, BPH-Symptome zu reduzieren, indem sie den DHT-Spiegel senkt, der zur Prostatavergrößerung beiträgt. Während die individuellen Reaktionen auf Sägepalme variieren, berichten viele Männer von einer verbesserten Harnfunktion nach regelmäßiger Einnahme dieses Produkts.

Pygeum.

Pygeum wird aus der Rinde des afrikanischen Pflaumenbaums (Prunus africana) gewonnen und wird seit langem

wird in der afrikanischen Medizin zur Behandlung von Harnwegsproblemen verwendet. Dieses pflanzliche Arzneimittel ist bekannt für seine entzündungshemmende Wirkung, die dazu beitragen kann, Prostataschwellungen zu reduzieren und den Urinfluss bei Männern mit BPH zu verbessern. Pygeum wird häufig in Verbindung mit anderen natürlichen Therapien wie Sägepalme verwendet, um die Unterstützung der Prostata zu verbessern.

Mehrere Studien haben gezeigt, dass Pygeum bei der

Behandlung von Symptomen hilft, einschließlich häufigem Wasserlassen und nächtlichem Harndrang. Pygeum, das eine gesunde Harnfunktion fördert und Entzündungen reduziert, kann eine wesentliche Ergänzung zu einer umfassenden Prostataversorgungsstrategie sein.

Brennnesselwurzel

Die Brennnesselwurzel wird in der Kräutertherapie eingesetzt, um die Gesundheit der Prostata zu verbessern, insbesondere bei Männern mit BPH. Es wirkt, indem es die Bindung von Sexualhormon-bindendem Globulin (SHBG) an

Testosteron, das möglicherweise den Hormonspiegel reguliert, der das Prostatawachstum antreibt. Die Brennnesselwurzel wird häufig mit Sägepalme in Nahrungsergänzungsmitteln gemischt, die die Gesundheit der Harnwege verbessern und die Symptome einer vergrößerten Prostata lindern sollen.

Zusätzlich zu ihren hormonregulierenden Fähigkeiten besitzt

die Brennnesselwurzel entzündungshemmende Eigenschaften, die Männern mit Prostataschmerzen helfen können. Es wird oft verwendet, um den Urinfluss zu erhöhen, das Gefühl einer unvollständigen Blasenentleerung zu lindern und Mitternachtspinkeln zu reduzieren.

Grüntee-Extrakt

Grüner Tee ist seit langem für seine antioxidativen Eigenschaften bekannt, und Grüntee-Extrakt wird nun auf seine mögliche Beteiligung an der Gesundheit der Prostata untersucht. In Labortests wurde festgestellt, dass Catechine aus grünem Tee, insbesondere Epigallocatechingallat (EGCG), das Wachstum von Prostatakrebszellen unterdrücken.

Darüber hinaus können die entzündungshemmenden Eigenschaften von grünem Tee dazu beitragen, die Wahrscheinlichkeit von Prostataproblemen zu verringern.

Männer, die täglich grünen Tee trinken oder Nahrungsergänzungsmittel mit Grüntee-Extrakt einnehmen, können von den antioxidativen Fähigkeiten der Catechine profitieren, die helfen, freie Radikale zu neutralisieren und oxidativen Stress im Körper zu reduzieren. Diese Effekte können die Gesundheit der Prostata verbessern und möglicherweise das Risiko von Prostatakrebs verringern.

Beta-Sitosterol

Beta-Sitosterol ist eine pflanzliche Chemikalie, die in vielen Lebensmitteln, einschließlich Nüssen, Samen und Gemüse, enthalten ist. Es wird häufig verwendet, um

Harnwegssymptome im Zusammenhang mit BPH zu lindern. Beta-Sitosterol wirkt, indem es Entzündungen verringert und den Urinfluss erhöht, was besonders für Männer mit einer vergrößerten Prostata von Vorteil ist. Diese Chemikalie ist in Form von Nahrungsergänzungsmitteln erhältlich und wird häufig in der Prostata verwendet

Formulierungen für die Gesundheit.

Untersuchungen zufolge kann Beta-Sitosterol helfen, Symptome wie schlechten Urinfluss, häufiges Wasserlassen und unvollständige Blasenentleerung zu lindern. Während es die Prostata nicht schrumpfen lässt, verbessert es die Lebensqualität von Männern mit BPH.

Änderungen des Lebensstils für die Gesundheit der Prostata

Zusätzlich zu pflanzlichen Arzneimitteln können verschiedene Änderungen des Lebensstils die Gesundheit der Prostata auf natürliche Weise verbessern. Regelmäßige Bewegung, eine

Ernährung, die reich an Vollwertkost ist, und die Aufrechterhaltung eines gesunden Gewichts sind wichtige Faktoren, um das Risiko von Prostataproblemen zu senken. Körperliche Aktivität, insbesondere Aerobic und

Krafttraining, verbessert die Durchblutung, reduziert Entzündungen und reguliert den Hormonspiegel – all dies ist für die Gesundheit der Prostata unerlässlich.

Darüber hinaus kann eine ausreichende Flüssigkeitszufuhr und die Regulierung des Stressniveaus dazu beitragen, die Gesundheit der Prostata zu unterstützen. Chronisch

Stress wird mit Entzündungen und Hormonanomalien in Verbindung gebracht, die die Prostata schädigen können. Meditation, Yoga und tiefe Atemtechniken können helfen, Stress abzubauen und das allgemeine Wohlbefinden zu verbessern.

Integration pflanzlicher Heilmittel in die konventionelle Versorgung

Während pflanzliche Arzneimittel und natürliche Ansätze für die Gesundheit der Prostata von Vorteil sind, sollten sie nicht als Ersatz für die traditionelle medizinische Versorgung verwendet werden. Männer sollten mit ihren Ärzten zusammenarbeiten, um eine Strategie zu entwickeln, die Routinetests, medizinische Behandlungen, falls erforderlich, und ergänzende natürliche Therapien umfasst. Durch die Kombination dieser Maßnahmen können Männer einen

proaktiven Ansatz zur Erhaltung der Prostatagesundheit und zur Senkung des Risikos von Problemen verfolgen.

Pflanzliche Arzneimittel sind eine sanfte, aber effektive Technik, um die Prostatafunktion zu verbessern, Symptome zu lindern und die langfristige Gesundheit zu fördern. Unter Einbeziehung dieser

Natürliche Behandlungen in einem umfassenden Gesundheitsplan sorgen dafür, dass Männer ihr ganzes Leben lang gesund und aktiv bleiben.

SPIRITUELLES UND EMOTIONALES WOHLBEFINDEN IM GESUNDHEITSWESEN

Die Gesundheit der Prostata wird häufig nur durch eine körperliche Brille betrachtet, aber die Berücksichtigung des spirituellen und emotionalen Wohlbefindens kann wichtig sein, um die allgemeine Gesundheit zu kontrollieren. Für viele Männer kann der Umgang mit Prostataerkrankungen wie gutartiger Prostatahyperplasie (BPH), Prostatitis oder Prostatakrebs emotionalen Stress, Sorgen und sogar eine spirituelle Krise verursachen. Ganzheitliche Methoden der Prostatabehandlung unterstreichen die Bedeutung der

Fürsorge für den ganzen Menschen, einschließlich Geist, Körper und Seele. Die Integration des spirituellen und emotionalen Wohlbefindens in eine Strategie für das Gesundheitsmanagement der Prostata kann die Resilienz stärken,

Lebensqualität und fördern langfristiges Wohlbefinden.

Der Zusammenhang zwischen emotionaler Gesundheit und körperlichem Wohlbefinden

Emotionales Wohlbefinden hat einen erheblichen Einfluss auf das körperliche Wohlbefinden. Geist und Körper sind untrennbar miteinander verbunden. Daher können Stress, Angst oder emotionale Qualen körperliche Probleme verschlimmern. Bei Männern, die mit gesundheitlichen Problemen der Prostata zu kämpfen haben, können emotionale

Schwierigkeiten auftreten, die auf die Ungewissheit der Diagnose, Behandlungsschwierigkeiten oder die Angst vor der Zukunft zurückzuführen sind. Die Auseinandersetzung mit diesen Gefühlen ist ein integraler Bestandteil einer umfassenden Prostataversorgung.

Vor allem chronischer Stress kann die Symptome einer Prostataerkrankung verschlimmern. Erhöhter Stresspegel durch die Freisetzung von Chemikalien wie Cortisol, die

Entzündungen verstärken und das Immunsystem beeinträchtigen können. Bei Männern mit Prostataproblemen kann dies Symptome wie Harnwegsreizungen oder

Schmerz. Männer, die ihr emotionales Wohlbefinden in den Vordergrund stellen, können Stress und seine schädlichen Folgen für ihren Körper reduzieren, was zu einer besseren Prostatafunktion führt.

Das Erkennen und der Umgang mit Gefühlen der Angst, Sorge oder Unzufriedenheit ist der erste Schritt zum Management des emotionalen Wohlbefindens. Therapie, Schreiben und Gespräche mit einem vertrauenswürdigen Freund oder Berater können Männern helfen, ihre Emotionen zu verarbeiten und ihre Gesundheit besser zu verstehen. Männer, die ein emotionales Gleichgewicht erreichen, können proaktiver und optimistischer an das Gesundheitsmanagement der Prostata herangehen.

Die Funktion der Spiritualität bei der Heilung

Spiritualität kann für viele Männer, die mit Prostataproblemen zu kämpfen haben, eine wichtige Quelle des Trostes, der Bedeutung und der Hoffnung sein. Spirituelles Wohlbefinden kann traditionelle religiöse Überzeugungen, persönlichen

Glauben oder ein größeres Gefühl der Verbundenheit mit etwas Größerem beinhalten

als man selbst. Unabhängig von ihrer Form bietet Spiritualität in schwierigen Situationen häufig emotionale Unterstützung und ermöglicht es Männern, sich angesichts der Ungewissheit geerdeter und widerstandsfähiger zu fühlen.

Spirituelle Disziplinen wie Gebet, Meditation und Achtsamkeit können das Nervensystem beruhigen und Stress abbauen. Diese Aktivitäten fördern die Reflexion, geben den Menschen ein Gefühl der Sinnhaftigkeit und helfen ihnen, mit den emotionalen Problemen umzugehen, die mit der Behandlung von Prostataerkrankungen einhergehen. Viele Männer schöpfen Kraft und Ruhe aus ihren spirituellen

Überzeugungen, die für ein ganzheitliches Gesundheitsmanagement entscheidend sein können.

Darüber hinaus fördert Spiritualität die Selbstwahrnehmung und Akzeptanz. Männer mit gesundheitlichen Problemen in der Prostata können sich entfremdet oder überfordert fühlen, aber spirituelle Aktivitäten können ihnen helfen, wieder Gleichgewicht und Perspektive zu finden. Männer, die regelmäßig spirituelle Übungen machen, können innere Ruhe schaffen, die ihr allgemeines Wohlbefinden verbessert und ihnen hilft, körperliche Hindernisse besser zu bewältigen.

Achtsamkeit und Meditation

Achtsamkeit und Meditation sind wesentliche Bestandteile der emotionalen und spirituellen Gesundheit. Diese Praktiken betonen das Bewusstsein, das Bewusstsein in den gegenwärtigen Moment zu bringen, was dazu beitragen kann, Ängste abzubauen, die Stimmung zu heben und die Entspannung zu fördern. Für Männer, die mit gesundheitlichen Problemen in der Prostata leben, bieten Achtsamkeit und Meditation einen mentalen Raum, um Emotionen ohne Urteil zu verarbeiten und so das mit körperlichen Symptomen verbundene psychische Gewicht zu reduzieren.

Regelmäßige Achtsamkeitsmeditation hilft, Stress abzubauen, indem sie den Geist entspannt und die Stressreaktion des Körpers verringert. Es kann Männern auch helfen, sich ihres Körpers bewusster zu werden und zu verstehen, wie ihre körperliche Gesundheit und ihre Emotionen miteinander verbunden sind. Zum Beispiel kann das Üben von Achtsamkeit Männern helfen zu verstehen, wie sich Stress oder Anspannung im Körper auf Prostatasymptome auswirken, was zu einem besseren Selbstmanagement führt.

Einfache Aktivitäten, wie z. B. sich auf den Atem zu konzentrieren oder eine Body-Scan-Meditation

durchzuführen, können helfen, Spannungen abzubauen und die Aufmerksamkeit auf unangenehme Bereiche zu lenken. Meditation kann im Laufe der Zeit die emotionale Widerstandsfähigkeit stärken, die Auswirkungen von Stress minimieren und eine positivere Einstellung zum Gesundheitsmanagement fördern.

Entwicklung emotionaler Unterstützungssysteme

Der Aufbau eines soliden emotionalen Unterstützungssystems ist für Männer, die mit gesundheitlichen Problemen der Prostata zu kämpfen haben, von entscheidender Bedeutung.

Soziale Beziehungen zu Familie, Freunden oder Selbsthilfegruppen sind eine hervorragende Möglichkeit, Probleme zu teilen, Ermutigung zu erhalten und von anderen zu lernen, die möglicherweise ähnliche Umstände durchmachen. Ein Unterstützungsnetzwerk kann das Gefühl der Isolation lindern und den Weg zum Umgang mit der Prostatagesundheit weniger beängstigend machen.

Selbsthilfegruppen, ob persönlich oder online, ermöglichen es Männern, mit anderen in Kontakt zu treten, die mit Prostata zu tun haben

Bedenken, teilen ihre Erfahrungen und tauschen hilfreiche Informationen aus. Diese Netzwerke fördern ein Gefühl der

Zugehörigkeit und emotionalen Unterstützung und ermöglichen es Männern, sich verstanden und gestärkt zu fühlen. Neben Selbsthilfegruppen sind Familie und enge Freunde wichtige Quellen der Fürsorge und des Trostes in schwierigen Zeiten.

Integration von spirituellem und emotionalem Wohlbefinden in die Prostatapflege

Die Integration von spirituellem und emotionalem

Wohlbefinden in die Prostataversorgung erfordert die Erkenntnis, dass gute Gesundheit mehr ist als die Abwesenheit von Krankheiten. Die Auseinandersetzung mit psychischen und spirituellen Gesundheitsproblemen kann Männern helfen, ein Gefühl der Vollständigkeit aufzubauen, das Heilung und Widerstandsfähigkeit fördert. Das Gesundheitsmanagement der Prostata ist effektiver, wenn Männer sich um ihren Körper kümmern und gleichzeitig ihren Geist und ihre Seele pflegen.

Männer, die mit gesundheitlichen Problemen bei der Prostata konfrontiert sind, können Ruhe und Kraft durch spirituelle

Aktivitäten, Achtsamkeit oder emotionale Unterstützungsnetzwerke. Ein ganzheitlicher Ansatz

ermöglicht es ihnen, einen ausgewogenen, integrativen Gesundheitsplan zu entwickeln, der auf ihre Bedürfnisse eingeht und so ihre Lebensqualität und ihr Wohlbefinden steigert.

KAPITEL 5: MEDIZIN UND BEHANDLUNGSMÖGLICHKEITEN

MEDIKAMENTE GEGEN GUTARTIGE PROSTATAHYPERPLASIE (BPH) VERSTEHEN

Die gutartige Prostatahyperplasie (BPH) ist eine häufige Erkrankung, die viele Männer mit zunehmendem Alter entwickeln. Es bezieht sich auf eine nicht krebsartige Vergrößerung der Prostata, die Harnwegssymptome wie Schwierigkeiten beim Wasserlassen, schwachen Urinfluss, häufiges Wasserlassen und das Gefühl verursachen kann, dass sich die Blase nicht vollständig entleert. BPH ist zwar nicht lebensbedrohlich, aber die Symptome können die Lebensqualität erheblich beeinträchtigen. Glücklicherweise gibt es zahlreiche Medikamente, die helfen, die Symptome von BPH zu behandeln und die Urinfunktion zu verbessern. Verständnis

Diese Medikamente, ihre Funktion und ihre möglichen Nebenwirkungen sind entscheidend für eine wirksame Kontrolle der Krankheit.

Alpha-Blocker: Entspannung der Prostata- und Blasenmuskulatur

Alpha-Blocker gehören zu den am häufigsten verabreichten Medikamenten gegen BPH. Sie entspannen, indem sie die Muskeln um die Prostata und den Blasenhals entspannen, wodurch das Pinkeln einfacher wird. Diese Medikamente schrumpfen die Prostata nicht, aber sie können sofortige Linderung bei Harnproblemen verschaffen, indem sie den Urinfluss erhöhen.

Gängige Alpha-Blocker:

- Flomax (Tamsulosin)

- Alfuzosin (Uroxatral)

- Doxazosin (Cardura)

- Terazosin (Hytrin)

Alpha-Blocker sind am vorteilhaftesten für Männer mit

mittelschweren bis schweren BPH-Symptomen, und viele Männer sehen Ergebnisse innerhalb weniger Tage bis einige

Wochen nach Beginn der Medikation. Die meisten Patienten vertragen diese Medikamente gut, da sie in der Regel einmal täglich eingenommen werden.

Wie Alpha-Blocker funktionieren:

Alpha-Rezeptoren befinden sich in der Prostata und im Blasenhals; Wenn sie ausgelöst werden, ziehen sich diese Muskeln zusammen. Alpha-Blocker reduzieren die Wirkung dieser Rezeptoren, wodurch sich die Muskeln entspannen und der Urinfluss erhöht wird. Alpha-Blocker reduzieren die Muskelverspannungen um die Prostata und die Blase, was dazu beiträgt, die Blockade zu lösen, die Harnprobleme bei BPH verursacht.

Mögliche Nebenwirkungen:

Obwohl Alpha-Blocker in der Regel sicher sind, können sie Schwindel, Lethargie, Kopfschmerzen oder Benommenheit hervorrufen, insbesondere beim Aufstehen

plötzlich (ein Zustand, der als orthostatische Hypotonie

bekannt ist). Einige Männer können auch Ejakulationsschwierigkeiten haben, wie z. B. retrograde Ejakulation, die auftritt, wenn Sperma in die Blase gelangt, anstatt während der Ejakulation freigesetzt zu werden. Diese Nebenwirkungen sind in der Regel moderat und klingen mit der Zeit ab, wenn sich der Körper an das Arzneimittel anpasst.

5-Alpha-Reduktase-Hemmer zur Reduzierung der Prostatagröße

Im Gegensatz zu Alpha-Blockern behandeln 5-Alpha-Reduktase-Hemmer die Ursache von BPH – eine vergrößerte Prostata. Diese Medikamente schrumpfen die Prostata, indem sie die Umwandlung von Testosteron in Dihydrotestosteron (DHT) hemmen, ein Hormon, das das Prostatawachstum stimuliert. Diese Medikamente senken den DHT-Spiegel, was dazu beiträgt, die Prostata zu schrumpfen und den Urinfluss im Laufe der Zeit zu erhöhen.

Häufige 5-Alpha-Reduktase-Hemmer:

- Finasterid (Proscar)

- Avodart (Dutasterid)

Wie funktionieren 5-Alpha-Reduktase-Hemmer?

DHT ist ein Hormon, das die Entwicklung und Expansion der Prostata fördert. Bei Männern mit BPH bewirkt zusätzliches DHT, dass sich die Prostata ausdehnt, was zu Harnproblemen führt. 5-Alpha-Reduktase-Hemmer unterdrücken das Enzym, das Testosteron in DHT umwandelt, was zu einem reduzierten DHT-Spiegel und einer allmählichen Verringerung der Prostatagröße führt.

Vorteile und Einschränkungen:

Diese Medikamente sind am wirksamsten bei Männern mit deutlich vergrößerter Prostata. Bei Männern kann es mehrere Monate dauern, bis sie die vollen Vorteile von 5-Alpha-Reduktase-Hemmern erkennen, da die Prostata

schrumpft im Laufe der Zeit allmählich. Während diese Medikamente eine langfristige Linderung der BPH-Symptome bieten können, sind sie bei Männern, die kleinere Prostata haben oder eine schnelle Linderung der Symptome benötigen, unwirksam.

Mögliche Nebenwirkungen:

Einige Männer können sexuelle Nebenwirkungen von 5-Alpha-Reduktase-Hemmern entwickeln, wie z. B. verminderte Libido, erektile Dysfunktion und verminderte Spermienproduktion. Diese Nebenwirkungen sind in der Regel gering, aber sie können manche Menschen ärgern. Da diese Medikamente länger brauchen, um Vorteile zu erzielen, müssen Männer sie möglicherweise zusammen mit Alpha-Blockern einnehmen, um die Symptome schnell zu lindern.

Kombinationstherapie: Steigerung der Behandlungswirksamkeit

Bei Männern mit mittelschweren bis schweren BPH-Symptomen oder stark vergrößerter Prostata kann die Kombinationstherapie

könnte die beste Option sein. Bei dieser Methode werden ein Alpha-Blocker und ein 5-Alpha-Reduktase-Hemmer gleichzeitig eingenommen. Die Kombination sorgt mit Alpha-Blockern für eine schnelle Linderung der Symptome, während der 5-Alpha-Reduktase-Hemmer die Prostata allmählich schrumpfen lässt.

Beispiele für Kombinationstherapien:

- Tamsulosin und Finasterid (vermarktet als Jalyn, wenn es mit Dutasterid verwendet wird)

Studien zufolge ist die Kombinationstherapie erfolgreicher als jedes Arzneimittel allein, um die Symptome zu lindern und das Fortschreiten der BPH zu verhindern. Männer, die eine Kombinationstherapie erhalten, haben häufig einen besseren Urinfluss, eine kleinere Prostata und eine geringere Wahrscheinlichkeit, in Zukunft operiert zu werden.

Nebenwirkungen der Kombinationstherapie:

Während die Kombinationstherapie sehr erfolgreich ist, gibt es ist eine erhöhte Wahrscheinlichkeit von Nebenwirkungen bei beiden Medikamenten. Zu diesen Symptomen können Schwindel, sexuelle Funktionsstörungen und ein erhöhtes Risiko für niedrigen Blutdruck (Hypotonie) gehören. Männer sollten eng mit ihrem Arzt zusammenarbeiten, um ihre Reaktion auf Medikamente zu beurteilen und Nebenwirkungen zu behandeln.

Phosphodiesterase-5-Hemmer: Doppelte Vorteile für die Gesundheit der Prostata und der Erektion

Phosphodiesterase-5 (PDE-5)-Hemmer wie Tadalafil (Cialis) werden häufig zur Behandlung der erektilen Dysfunktion

eingesetzt, sind aber auch zur Behandlung von BPH zugelassen. PDE-5-Hemmer entspannen das glatte Muskelgewebe in der Prostata und der Blase, was zu einem verbesserten Urinfluss und weniger BPH-Symptomen führt. Aufgrund ihrer doppelten Wirkung sind sie eine ausgezeichnete Wahl für Männer, die sowohl an erektiler Dysfunktion als auch an BPH leiden.

Wie funktionieren PDE-5-Hemmer?

PDE-5-Hemmer erhöhen den Stickoxidspiegel, wodurch die Blutgefäße und das glatte Muskelgewebe in Prostata und Blase entspannt werden. Diese Entspannung verbessert den Harnfluss und lindert gleichzeitig Symptome wie Dringlichkeit und Häufigkeit. Da diese Medikamente die Durchblutung des Penis erhöhen, können sie auch Männern mit erektiler Dysfunktion zugute kommen.

Mögliche Nebenwirkungen:

PDE-5-Hemmer sind in der Regel gut verträglich. Einige Männer können jedoch Kopfschmerzen, Rückenbeschwerden, Dyspepsie oder Gesichtsrötungen haben. Diese Nebenwirkungen sind oft moderat und vorübergehend.

Männer, die Nitrate gegen Herzprobleme einnehmen, sollten die Verwendung von PDE-5-Hemmern vermeiden, da die Kombination zu einem gefährlich niedrigen Blutdruck führen kann.

Anticholinergika: Behandlung von Symptomen einer überaktiven Blase

Anticholinergika können Männern mit BPH zugute kommen, die auch Symptome einer hyperaktiven Blase wie häufiges Wasserlassen, Harndrang oder Harninkontinenz haben. Diese Medikamente hemmen die Aktivität von Acetylcholin, einem chemischen Botenstoff, der Blasenkontraktionen verursacht. Anticholinergika reduzieren diese Kontraktionen, was dazu beiträgt, das Gefühl zu verringern, häufig oder dringend urinieren zu müssen.

Häufige Anticholinergika:

- Oxybutinin (Destillation)

- Tolterodin (Detrol)

Nebenerscheinungen:

Während Anticholinergika bei Blasenüberaktivität helfen können, können sie Mundtrockenheit, Verstopfung oder verschwommenes Sehen hervorrufen. Diese Medikamente können oft

das Wasserlassen erschweren. Daher werden sie Männern, die bereits einen erheblichen Harnverhalt haben, in der Regel mit Vorsicht empfohlen.

Auswahl der richtigen Medikamente

Ein effizientes BPH-Management erfordert häufig einen personalisierten Ansatz, der auf individuellen Symptomen, Prostatagröße und allgemeinem Gesundheitszustand basiert. Jede Klasse von Medikamenten hat Vor- und Nachteile, und viele Männer entdecken, dass eine Mischung von Therapien für ihre Bedürfnisse am wirksamsten ist. In Zusammenarbeit mit einem Arzt können Männer die beste Behandlungsstrategie zur Linderung der Symptome ermitteln und gleichzeitig Nebenwirkungen minimieren.

BEHANDLUNG VON PROSTATAKREBS: MEDIKAMENTE UND MEHR

Während einige Prostatatumoren langsam wachsen und

Verursachen Sie niemals ernsthaften Schaden, andere sind aggressiver und müssen dringend behandelt werden. Eine effektive Behandlung von Prostatakrebs erfordert häufig eine Kombination aus Medikamenten, Änderungen des Lebensstils und fortschrittlichen Therapien, die auf das Krankheitsstadium und den allgemeinen Gesundheitszustand des Patienten abgestimmt sind. Das Verständnis der verschiedenen Behandlungsmöglichkeiten ermöglicht es Männern, fundierte Entscheidungen über den Umgang mit ihren Krankheiten zu treffen.

Medikamente zur Behandlung von Prostatakrebs

Es gibt verschiedene Arten von Medikamenten zur

Behandlung von Prostatakrebs, die jeweils ein bestimmtes Element der Krankheit ansprechen. Diese Medikamente können allein oder in Verbindung mit anderen Behandlungen angewendet werden, abhängig von der Schwere der Krebserkrankung und den spezifischen Umständen des Patienten.

Hormontherapie (Androgenentzugstherapie)

Um sich zu vermehren, sind Prostatakrebszellen auf Androgene angewiesen, bei denen es sich um männliche Hormone wie Testosteron handelt. Die Hormonbehandlung, allgemein bekannt als Androgendeprivationstherapie (ADT), senkt oder blockiert die Wirkung dieser Hormone im Körper und verlangsamt oder stoppt dadurch die Proliferation von Krebszellen. ADT kann in verschiedenen Stadien von Prostatakrebs eingesetzt werden, insbesondere bei fortgeschrittenen oder metastasierten Fällen.

Arten der Hormontherapie:

- **Luteinisierendes Hormon-Releasing-Hormon (LHRH) Agonisten und Antagonisten:** Diese Medikamente senken den

Testosteronspiegel, indem sie die Hoden daran hindern, ihn zu produzieren. Beispiele sind Leuprolid (Lupron) und Degarelix (Firmagon).

- **Anti-Androgene:** Diese Medikamente hemmen die Wirkung von Testosteron auf Krebszellen, ohne den Gesamthormonspiegel zu senken. Typische Beispiele sind Bicalutamid (Casodex) und Enzalutamid (Xtandi).

Die Hormontherapie ist seit mehreren Jahren häufig hilfreich bei der Behandlung von Prostatakrebs. Einige Tumoren können jedoch Resistenzen gegen eine Hormontherapie entwickeln. Dieses Stadium, das als kastrationsresistenter Prostatakrebs (CRPC) bezeichnet wird, erfordert zusätzliche Therapieoptionen.

Nebenerscheinungen:

Eine Hormontherapie kann zu Müdigkeit, Hitzewallungen, verminderter Libido, Erektionsproblemen und Muskelabbau führen. Eine langfristige Anwendung kann auch das Risiko für Osteoporose und Herz-Kreislauf-Erkrankungen erhöhen. Daher sind regelmäßige Überwachungen und Anpassungen des Lebensstils erforderlich, um diese Risiken zu bewältigen.

Chemotherapie.

Chemotherapie ist der Einsatz von starken Medikamenten zur Beseitigung von Krebszellen, die sich schnell vermehren. Die Chemotherapie ist zwar nicht die Erstlinienbehandlung für

Prostatakrebs im Frühstadium, wird häufig eingesetzt, wenn sich die Krankheit auf andere Teile des Körpers ausgebreitet

hat (metastasierender Krebs) oder wenn die Hormontherapie nicht mehr wirksam ist.

Gängige Chemotherapeutika:

- Docetaxel (Taxotere)

Cabazitaxel (Jevtana)

Diese Medikamente werden oft intravenös verabreicht und funktionieren, indem sie Krebszellen identifizieren und eliminieren. Eine Chemotherapie kann Tumore verringern, Symptome lindern und das Leben bei Männern mit fortgeschrittenem Prostatakrebs verlängern.

Nebenerscheinungen:

Wie bei den meisten Krebsbehandlungen kann eine

Chemotherapie zu Müdigkeit, Übelkeit, Haarausfall und einem erhöhten Infektionsrisiko aufgrund eines schwächeren Immunsystems führen. Diese Nebenwirkungen sind jedoch häufig

mit unterstützender Pflege zu bewältigen und in der Regel nach Beendigung der Therapie abklingen.

Immuntherapie

Die Immuntherapie ist eine relativ neue Strategie, die es dem körpereigenen Immunsystem ermöglicht, Krebszellen zu erkennen und zu bekämpfen. Sipuleucel-T (Provenge) ist eine von der FDA zugelassene Immuntherapie gegen Prostatakrebs. Dieses Medikament stimuliert das Immunsystem, Prostatakrebszellen effizienter zu bekämpfen.

Wie funktioniert Sipuleucel-T?

Sipuleucel-T ist eine maßgeschneiderte Behandlung, bei der die eigenen Immunzellen des Patienten verwendet werden. Diese Zellen werden entnommen, in einem Labor verändert, um Prostatakrebszellen zu erkennen, und dann in den Körper des Patienten zurückgeführt. Die transformierten Zellen regen das

Immunsystem an, die bösartigen Erkrankungen anzugreifen.

Die Immuntherapie wird häufig bei Männern angewendet, die haben Prostatakrebs im fortgeschrittenen Stadium und sprechen nicht mehr auf eine Hormontherapie an. Es ist vielleicht nicht für alle Menschen geeignet, aber es bietet eine zusätzliche Option für diejenigen mit wenigen Therapiemöglichkeiten.

Nebenerscheinungen:

Die Nebenwirkungen der Immuntherapie sind oft bescheiden, obwohl sie grippeähnliche Symptome wie Fieber, Schüttelfrost, Lethargie und Kopfschmerzen umfassen können. Diese Symptome sind in der Regel vorübergehend und klingen innerhalb weniger Tage ab.

Gezielte Therapie

Zielgerichtete Therapiemedikamente zielen auf molekulare Veränderungen ab, die für Krebszellen spezifisch sind, und lassen gesunde Zellen unberührt. Gezielte Therapien bei Prostatakrebs werden immer häufiger, insbesondere bei Männern mit fortgeschrittenen oder resistenten Formen der Erkrankung.

Häufig zielgerichtete Therapien:

- PARP-Inhibitoren: Medikamente wie Olaparib (Lynparza) und Rucaparib (Rubraca) zielen auf spezifische genetische Mutationen wie BRCA1 oder BRCA2 ab, die an der DNA-Reparatur beteiligt sind. Diese Medikamente sind besonders wirksam bei Männern, die diese genetischen Anomalien tragen.

- Radiopharmazeutika: Radium-223 (Xofigo) ist eine gezielte Strahlentherapie bei Prostatakrebs, der bis in die Knochen fortgeschritten ist. Es lenkt die Strahlung auf Krebszellen in den Knochen und schont gleichzeitig das umliegende Gewebe.

Zielgerichtete Medikamente bieten einen individuelleren Behandlungsansatz, was sie zu einer praktikablen Wahl für Männer mit spezifischen genetischen Profilen oder metastasierenden Erkrankungen macht, die über die Prostata hinausgehen.

Nebenerscheinungen:

Die Nebenwirkungen zielgerichteter Therapien variieren je nach

Medikamente, aber sie können Übelkeit, Erschöpfung, Anämie

und Magen-Darm-Probleme umfassen. Patienten, die mit Radiopharmaka behandelt werden, können Knochenschmerzen oder Ödeme haben.

Jenseits der Medizin: Chirurgie und Bestrahlung

Neben Medikamenten sind Operation und Strahlentherapie typische Behandlungen für Prostatakrebs, insbesondere in

lokalisierten Fällen, in denen sich der Krebs nicht über die Prostata hinaus ausgebreitet hat.

Chirurgisch (radiale Prostatektomie):

Bei dieser Behandlung werden die Prostata und ein Teil des umgebenden Gewebes entfernt. Es wird häufig für Männer mit Prostatakrebs im Frühstadium empfohlen, der in der Prostata lokalisiert ist. Eine Operation kann zwar wirksam sein, aber Nebenwirkungen wie Urininkontinenz und Erektionsprobleme verursachen.

Strahlentherapie:

Bei der Strahlentherapie werden hochenergetische Strahlen

eingesetzt, um Krebszellen gezielt abzutöten. Sie kann extern (externe Strahlentherapie) oder intern durch Brachytherapie verabreicht werden, bei der radioaktive Seeds in die Prostata implantiert werden. Die Strahlentherapie wird häufig als primäre Behandlung bei lokalisiertem Prostatakrebs oder als Ergänzung zu anderen Therapien eingesetzt.

Nebenwirkungen der Strahlung:

Häufige Nebenwirkungen sind Müdigkeit, Blasenreizungen

und Magen-Darm-Schmerzen. Diese Nebenwirkungen sind oft vorübergehend, können aber in bestimmten Situationen anhalten.

Prostatakrebs wird mit einer Vielzahl von Medikamenten und Therapien behandelt, die auf das Krebsstadium des Patienten, seinen allgemeinen Gesundheitszustand und seine persönlichen Vorlieben zugeschnitten sind. Die Behandlungsmöglichkeiten reichen von Hormontherapie und

Chemotherapie bis hin zu gezielter und Immuntherapie, und die Wahl wird durch die besonderen Merkmale des Krebses und die Anforderungen des Patienten bestimmt. Neben Medikamenten spielen Operation und Bestrahlung eine wesentliche Rolle bei der Behandlung von Prostatakrebs und bieten sowohl kurative als auch palliative Alternativen. Die enge Zusammenarbeit mit einem Arzt bei der Erkundung dieser Optionen stellt sicher, dass Männer die beste Versorgung erhalten.

DIE ROLLE DER HORMONTHERAPIE BEI DER GESUNDHEIT DER PROSTATA

Die Hormontherapie ist ein wesentlicher Aspekt der Kontrolle der Prostatagesundheit, insbesondere bei Prostatakrebs. Dieses Medikament, das auch als Androgenentzugstherapie (ADT) bekannt ist, senkt oder hemmt die Synthese von männlichen Hormonen, die als Androgene bezeichnet werden, wie Testosteron, die Prostatakrebszellen für ihr Wachstum benötigen. Während die Hormontherapie Prostatakrebs nicht heilen kann, kann sie seine Ausbreitung stoppen.

Verringerung von Tumoren und Linderung von Symptomen, insbesondere bei fortgeschrittenen oder metastasierten Fällen. Männer, die eine Hormontherapie in Betracht ziehen, sollten verstehen, wie sie bei der Verabreichung wirkt und welche

Nebenwirkungen auftreten können.

Wie funktioniert die Hormontherapie?

Prostatakrebszellen benötigen Androgene, insbesondere Testosteron, um sich zu entwickeln und zu vermehren. Die Hormontherapie entzieht den Prostatakrebszellen den Treibstoff, den sie benötigen, indem sie den Androgenspiegel senkt oder hemmt. Diese Methode ist vorteilhaft für die Behandlung von Prostatakrebs, der außerhalb der Prostata fortgeschritten ist oder nach einer Ersttherapie mit Operation oder Bestrahlung wieder aufgetreten ist.

Es gibt zwei Hauptansätze für die Hormontherapie bei Prostatakrebs.

- Senkung der Testosteronproduktion: Zu dieser Gruppe gehören Medikamente wie luteinisierende Hormone.

Freisetzungshormon (LHRH)-Agonisten und -Antagonisten, die die Menge an Testosteron reduzieren, die von den Hoden produziert wird.

- Blockieren von Androgenrezeptoren: Antiandrogene verhindern, dass Androgene mit Prostatakrebszellen interagieren, und hemmen effektiv die Fähigkeit des Hormons, das Tumorwachstum zu stimulieren.

Arten der Hormontherapie:

LHRH-Agonisten und -Antagonisten: Diese Medikamente senken den Testosteronspiegel, indem sie Signale stören, die vom Gehirn an die Hoden gesendet werden. LHRH-Agonisten wie Leuprolid (Lupron) und Goserelin (Zoladex) induzieren einen kurzen Anstieg des Testosteronspiegels, gefolgt von einem schnellen Abfall. LHRH-Antagonisten wie Degarelix (Firmagon) hemmen direkt die Testosteronproduktion ohne den frühen Anstieg. Beide Formen werden durch Injektion oder Implantation

bereitgestellt und sind erfolgreich bei der Senkung des Testosteronspiegels

Ebenen im Körper.

Antiandrogene: Bicalutamid (Casodex) und Enzalutamid (Xtandi) hemmen die Bindung von Testosteron an Androgenrezeptoren in Prostatakrebszellen. Diese Medikamente werden häufig in Verbindung mit LHRH-Agonisten verwendet, um eine vollständigere Hormonsuppression zu bieten, insbesondere bei fortgeschrittenem Prostatakrebs.

Chirurgische Kastration (Orchiektomie): Die Orchiektomie oder die chirurgische Entfernung der Hoden ist eine weitere Methode zur Senkung des Testosteronspiegels. Obwohl es sich um ein dauerhaftes Heilmittel handelt, wird es heutzutage aufgrund der Verfügbarkeit effizienter pharmakologischer Therapien, die ohne Operation vergleichbare Vorteile bieten, nur noch selten angewendet. Einige Männer entscheiden sich jedoch für diese Behandlung, weil sie regelmäßige Hormontherapien, Injektionen oder Medikamente vermeiden möchten.

Wann wird eine Hormontherapie angewendet?

Die Hormontherapie wird in der Regel bei folgenden Erkrankungen eingesetzt:

- **Fortgeschrittener Prostatakrebs:** Die Hormontherapie kann Männern mit Krebs helfen, der sich auf andere Teile ihres Körpers ausgebreitet hat, indem sie das Wachstum von Krebszellen verringert.

- **Rezidivierender Krebs:** Wenn Prostatakrebs nach einer

Erstbehandlung wie Operation oder Bestrahlung erneut auftritt, kann eine Hormontherapie helfen, ihn zu behandeln.

- Vor oder nach der Strahlenbehandlung: Unter bestimmten Umständen wird die Hormontherapie in Verbindung mit einer Strahlentherapie eingesetzt, um die Prostata zu verkleinern und die Wirksamkeit der Bestrahlung zu erhöhen. Es kann auch nach einer Strahlentherapie verwendet werden, um das Risiko eines erneuten Auftretens von Krebs zu senken.

- Palliativmedizin: Eine Hormonbehandlung kann Männern mit metastasierendem Prostatakrebs helfen, Symptome wie Knochenschmerzen zu verbessern, indem sie Tumore schrumpfen und

Verringerung des Fortschreitens der Krankheit.

Vorteile der Hormontherapie

Die Hormontherapie ist sehr wirksam bei der Kontrolle von Prostatakrebs im Laufe der Zeit, bietet jahrelange Symptomlinderung und verlangsamt das Fortschreiten der Krankheit. In vielen Situationen ermöglicht es Männern, ihre Krankheit unter Kontrolle zu bringen und gleichzeitig einen ziemlich guten Lebensstandard aufrechtzuerhalten. Es kann auch mit anderen Behandlungen, einschließlich Chemotherapie oder Bestrahlung, gekoppelt werden, um die Gesamtwirksamkeit zu verbessern.

Mögliche Nebenwirkungen der Hormontherapie

Die Hormontherapie ist zwar erfolgreich, kann aber aufgrund des signifikanten Abfalls des Testosteronspiegels eine Vielzahl von Nebenwirkungen haben. Typische Nebenwirkungen sind:

- **Müdigkeit:** Viele Männer bemerken einen Abfall des Energieniveaus, der die täglichen Aktivitäten stören kann.

- **Hitzewallungen:** Plötzliche Hitzeempfindungen,

Schweiß und Unwohlsein sind weit verbreitet, ähnlich wie bei Frauen in den Wechseljahren.

- **Verlust der Libido bei erektiler Dysfunktion:** Ein niedrigerer Testosteronspiegel kann den Sexualtrieb senken

und es schwierig machen, eine Erektion zu erreichen oder aufrechtzuerhalten.

- **Gewichtszunahme und Muskelabbau:** Die Hormontherapie kann die Körperzusammensetzung verändern, indem sie das Fett erhöht und die Muskelmasse verringert.

- **Knochenausdünnung (Osteoporose):** Testosteron hilft, die Knochendichte zu erhalten, aber eine langfristige Hormontherapie kann die Knochen schwächen und das Osteoporoserisiko erhöhen.

- **Stimmungsschwankungen:** Hormonelle Schwankungen können bei einigen Männern zu Stimmungsschwankungen, Traurigkeit oder erhöhter Reizbarkeit führen.

Männer, die eine Hormontherapie in Betracht ziehen, sollten die möglichen Nebenwirkungen mit ihrem Arzt besprechen und einen Plan zur Behandlung erstellen. Regelmäßige Bewegung, Krafttraining und eine gute Ernährung können helfen,

einige körperliche Veränderungen, während emotionale Unterstützung und Beratung bei stimmungsbedingten Symptomen helfen können.

Management der Hormontherapie im Laufe der Zeit

Während die Hormontherapie bei der Behandlung von Prostatakrebs hilft, kann der Krebs schließlich resistent gegen die Behandlung werden. Dieses Stadium, das als kastrationsresistenter Prostatakrebs (CRPC) bekannt ist, entsteht, wenn der Krebs trotz reduziertem Testosteronspiegel wächst. In diesem Fall können zusätzliche Behandlungsmöglichkeiten wie Chemotherapie, neuere Hormontherapien oder gezielte Behandlungen erforderlich sein.

In seltenen Fällen kann eine gelegentliche Hormontherapie angezeigt sein. Diese Strategie besteht darin, Lücken in der Therapie zu schließen, damit der Testosteronspiegel wieder ansteigen kann, wodurch die Wahrscheinlichkeit von Nebenwirkungen verringert und gleichzeitig das Fortschreiten der Krebserkrankung unterdrückt wird.

Die Hormontherapie ist ein integraler Bestandteil der Behandlung von Prostatakrebs, insbesondere bei fortgeschrittenen oder

wiederkehrende Instanzen. Durch die Senkung oder Unterdrückung von Testosteron reduziert es das Krebswachstum und lindert bei vielen Männern die Symptome. Während Nebenwirkungen schwer zu bewältigen sein können, sind sie oft durch Änderungen des Lebensstils

und unterstützende Behandlung zu bewältigen. Regelmäßige Überwachungen und Änderungen des Behandlungsplans garantieren, dass die Hormontherapie bei der Kontrolle von Prostatakrebs wirksam bleibt und gleichzeitig die Lebensqualität erhalten bleibt.

CHEMOTHERAPIE FÜR FORTGESCHRITTENE STADIEN: WAS SIE ERWARTET

Die Chemotherapie ist eine wichtige Therapieoption bei Prostatakrebs im fortgeschrittenen Stadium, vor allem wenn sich die Krankheit über die Prostata hinaus ausgebreitet hat oder wenn andere Behandlungen, wie z. B. die Hormontherapie, nicht mehr wirken. Während die Chemotherapie häufig mit einer aggressiven Behandlung vieler Krebsarten verbunden ist, wird sie am häufigsten eingesetzt, um die Ausbreitung von Prostatakrebs zu verlangsamen, die Symptome zu lindern und

Verbessern Sie die Lebensqualität. Zu verstehen, was von einer Chemotherapie zu erwarten ist, einschließlich ihrer Vorteile und möglichen Nebenwirkungen, hilft Männern und ihren Betreuern, sich auf den bevorstehenden Weg

vorzubereiten.

Wie funktioniert eine Chemotherapie?

Bei der Chemotherapie werden wirksame Medikamente verwendet, die auf schnell vermehrende Krebszellen abzielen und diese eliminieren. Während Prostatakrebs in seinen frühen Stadien langsam wächst, kann sich fortgeschrittener oder metastasierender Prostatakrebs auf andere Körperregionen wie Knochen oder Lymphknoten ausbreiten, was die Chemotherapie zu einer wichtigen Behandlungsoption macht. Chemotherapeutika zirkulieren über den Blutkreislauf durch den Körper und sind daher wirksam bei der Behandlung von Krebszellen, die über die Prostata hinaus fortgeschritten sind.

Eine Chemotherapie bei Prostatakrebs heilt die Krankheit nicht, aber sie kann Tumore verringern, Symptome lindern und die Entwicklung von Krebszellen verlangsamen, insbesondere bei Männern mit metastasierendem Prostatakrebs. Es

wird häufig in Verbindung mit anderen Behandlungen, wie z. B. einer Hormontherapie oder gezielteren Medikamenten, eingesetzt, um den allgemeinen Therapieerfolg zu erhöhen.

Wenn eine Chemotherapie angewendet wird

Die Chemotherapie ist in der Regel Personen mit fortgeschrittenem Prostatakrebs vorbehalten, einschließlich

- **Metastasierender Prostatakrebs:** Wenn der Krebs in andere Körperteile wie Knochen oder Lymphknoten fortgeschritten ist, kann eine Chemotherapie helfen, die Ausbreitung zu kontrollieren und Schmerzen zu lindern.

- **Kastrationsresistenter Prostatakrebs (CRPC):** Wenn die Hormontherapie bei der Behandlung von Prostatakrebs nicht mehr wirksam ist, wird häufig eine Chemotherapie empfohlen, um das Fortschreiten des Prostatakrebses zu hemmen.

- **Palliativmedizin:** Eine Chemotherapie kann Männern mit erheblichen Symptomen von fortgeschrittenem Prostatakrebs, wie z. B. Knochenschmerzen, zugute kommen und deren Qualität verbessern

des Lebens.

Bei Prostatakrebs im Frühstadium wird eine Chemotherapie nur selten eingesetzt, da alternative Optionen wie Operation, Bestrahlung oder Hormontherapie erfolgreicher sind. Für Männer mit fortgeschrittenem oder schwerem Prostatakrebs bietet die Chemotherapie jedoch eine zusätzliche Behandlungsmöglichkeit.

Gängige Chemotherapeutika bei Prostatakrebs

Es gibt verschiedene Chemotherapeutika zur Behandlung von fortgeschrittenem Prostatakrebs. Diese Medikamente werden intravenös (über eine Infusion) in einem Krankenhaus oder einer Klinik verabreicht.

- Docetaxel (Taxotere) ist eines der am häufigsten verwendeten Chemotherapeutika bei Prostatakrebs. Es hemmt die Fähigkeit von Krebszellen, sich zu teilen und zu entwickeln. Docetaxel wird häufig in Verbindung mit Prednison verwendet, einem Steroid, das Entzündungen reduziert und Nebenwirkungen behandelt.

• **Cabazitaxel (Jevtana):** Dieses Medikament wird häufig verwendet, wenn Docetaxel nicht mehr zur Behandlung von Prostatakrebs wirkt. Es funktioniert ähnlich und zielt auf sich schnell teilende Krebszellen ab.

Diese Medikamente werden in der Regel in Zyklen verabreicht, die jeweils aus einer Behandlungszeit bestehen, gefolgt von einer Erholungsphase. Die meisten Männer unterziehen sich alle drei Wochen einer Chemotherapie, aber die genaue Häufigkeit variiert je nach individuellem Bedarf

und Behandlungsstrategie.

Vorteile der Chemotherapie

Die Chemotherapie hat verschiedene Vorteile für Menschen mit fortgeschrittenem Prostatakrebs.

- **Reduziert das Fortschreiten der Krankheit:** Eine Chemotherapie kann die Entwicklung von Krebszellen drastisch begrenzen und so dazu beitragen, das Fortschreiten der Krankheit zu kontrollieren und die Überlebenschancen insgesamt zu erhöhen.

- **Es lindert die Symptome:** Eine Chemotherapie kann Männern mit fortgeschrittenem Krebs, insbesondere solchen mit Knochenmetastasen, helfen, Beschwerden lindern, die Mobilität erhöhen und die Lebensqualität verbessern.

- **Erhöht die Wirksamkeit anderer Behandlungen:** Die Chemotherapie kann mit anderen Arzneimitteln wie Hormontherapie oder Immuntherapie kombiniert werden, um die Gesamtwirksamkeit des Behandlungsschemas zu verbessern.

Während eine Chemotherapie fortgeschrittenen Prostatakrebs nicht heilen kann, kann sie eine deutliche Linderung verschaffen und es Männern ermöglichen, mehr Zeit mit ihren Lieben zu verbringen.

Was Sie während der Chemotherapie erwartet

Die Chemotherapie bei Prostatakrebs besteht in der Regel aus Behandlungen alle paar Wochen, abhängig von dem vom Onkologen vorgeschlagenen Medikamentenschema. Jede Sitzung kann mehrere Stunden dauern, und die Anzahl der Zyklen hängt vom Stadium der Erkrankung und der

Ansprechen des Patienten auf die Behandlung.

Während der Chemotherapie können Männer sowohl körperliche als auch psychische Symptome haben. Müdigkeit ist eine der häufigsten Nebenwirkungen; Viele Patienten benötigen mehr Ruhe als sonst. Eine Chemotherapie kann auch Übelkeit, Erbrechen und Appetitprobleme hervorrufen, obwohl es Medikamente gibt, die bei der Behandlung dieser Effekte helfen.

Eine weitere typische Nebenwirkung der Chemotherapie ist Haarausfall, der auftritt, wenn die Medikamente auf sich schnell teilende Zellen wie Krebszellen und Haarfollikel abzielen. Haarausfall ist vorübergehend, und die Haare wachsen in der Regel nach der Behandlung nach.

Eine Chemotherapie kann das Immunsystem schwächen, was zu einem erhöhten Infektionsrisiko führt. Männer, die sich in

Behandlung begeben, sollten bei Keimen Vorsicht walten lassen und Anzeichen einer Infektion, wie z. B. Fieber, sofort ihrem Arzt melden.

- Anämie: Chemotherapie kann rote Blutkörperchen reduzieren

Zahlen, die zu Anämie, Lethargie und Schwäche führen. Bluttransfusionen oder Medikamente können erforderlich sein, um diese Nebenwirkung zu behandeln.

Wunden im Mund: Einige Männer entwickeln Wunden im Mund oder Geschmacksveränderungen, die das Essen unangenehm machen können. Die richtige Zahnhygiene und Mundspülung können helfen, diese Symptome zu lindern.

Umgang mit Nebenwirkungen und gesund bleiben

Der Umgang mit den Nebenwirkungen der Chemotherapie ist ein wesentlicher Aspekt der Behandlung. Die meisten Männer leiden unter einem gewissen Maß an Nebenwirkungen, aber es gibt zahlreiche Techniken, um Beschwerden zu reduzieren und die Kraft während des gesamten Therapiezyklus zu erhalten.

- Ernährung und Flüssigkeitszufuhr: Den ganzen Tag über bescheidene, ausgewogene Mahlzeiten zu sich zu nehmen und ausreichend Flüssigkeit zu sich zu nehmen, kann helfen, Müdigkeit und andere Nebenwirkungen zu lindern. Der Appetit einiger Männer kann sich während der Therapie ändern, also konzentrieren Sie sich auf

Lebensmittel, die leicht verdaulich und reich an Nährstoffen sind.

- Bewegung: Sanfte Bewegung, wie Gehen oder Dehnen, kann helfen, die Energie zu steigern und die Stimmung während der Chemotherapie zu verbessern.

- Unterstützungsnetzwerke: Emotionale Unterstützung durch Familie, Freunde und Selbsthilfegruppen kann während der Chemotherapie von Vorteil sein. Mit Menschen zu sprechen, die vergleichbare Behandlungen durchlaufen haben, kann beruhigend und ermutigend sein.

Die Chemotherapie ist bei der Behandlung von fortgeschrittenem Prostatakrebs von entscheidender Bedeutung, da sie das Fortschreiten der Krankheit unter Kontrolle bringen und gleichzeitig die Symptome lindern kann. Während das Medikament Nebenwirkungen hat, kann die Mehrheit mit unterstützender Pflege und Änderungen des Lebensstils behandelt werden. Männer können die Chemotherapie souverän meistern und die höchste

Lebensqualität aufrechterhalten, indem sie wissen, was sie erwartet, und eng mit Gesundheitsexperten zusammenarbeiten.

Die Immuntherapie stellt einen Wendepunkt in der Krebsbehandlung dar und gibt Menschen mit fortgeschrittenem Prostatakrebs neue Hoffnung. Während traditionelle Therapien für Prostatakrebs traditionell Operationen, Bestrahlung und Hormontherapie umfassen, funktioniert die Immuntherapie anders, indem sie das körpereigene Immunsystem nutzt, um Krebszellen zu bekämpfen und zu eliminieren. Neben der Immuntherapie sind auch andere neuartige Behandlungen im laufenden Kampf gegen Prostatakrebs vielversprechend. Diese neuartigen Ansätze sollen die Ergebnisse für Patienten verbessern, insbesondere für Patienten mit Krebs, die gegen Standardtherapien resistent sind.

Wie die Immuntherapie funktioniert

Immuntherapie stärkt die

Fähigkeit, Krebszellen zu erkennen und zu bekämpfen. Prostatakrebs kann, wie andere Krebsarten auch, das Immunsystem häufig meiden, indem er eine Schutzbarriere um seine Zellen bildet oder sich vor der Immunüberwachung "versteckt". Die Immuntherapie hemmt diese Mechanismen, so dass das Immunsystem bösartige Zellen erkennen und abtöten kann.

Die am häufigsten verwendete Art der Immuntherapie bei Prostatakrebs ist **Sipuleucel-T (Provenge),** die speziell für Männer mit metastasiertem Prostatakrebs entwickelt wurde, die nicht auf eine Hormontherapie ansprechen. Bei dieser individualisierten Behandlung werden die Immunzellen eines Patienten verwendet, die gesammelt, modifiziert werden, um Prostatakrebszellen zu erkennen, und dann wieder in den Körper eingeführt werden, um eine spezifische Immunantwort auszulösen.

Sipuleucel-T, ein personalisierter Immuntherapieansatz

Sipuleucel-T ist eine einzigartige Behandlung, da es

Abgestimmt auf jeden einzelnen Patienten. Der Prozess beginnt mit der Entnahme der Immunzellen des Patienten

über ein Verfahren, das als Leukapherese bekannt ist. Diese Zellen werden dann in ein Labor überführt und einem Protein ausgesetzt, das in den meisten Prostatakrebszellen vorkommt. Diese Exposition "lehrt" Immunzellen effektiv, Prostatakrebszellen zu erkennen und zu bekämpfen. Nach der Vorbereitung werden die Immunzellen wieder in den Blutkreislauf des Patienten eingeführt, um bösartige Zellen zu erkennen und zu zerstören.

Sipuleucel-T wird hauptsächlich zur Behandlung von Männern mit fortgeschrittenem Prostatakrebs angewendet, die nicht mehr auf eine Hormontherapie ansprechen. Obwohl es die Krankheit nicht heilt, verbessert es nachweislich die Überlebensraten bei Männern mit metastasiertem Prostatakrebs. Einer der Hauptvorteile dieser Behandlung besteht darin, dass sie einen gezielteren Ansatz verfolgt und weniger Nebenwirkungen hat als eine Standard-Chemotherapie.

Neue Immuntherapie-Optionen

Neben **Sipuleucel-T** werden verschiedene Arten von

Immuntherapien für Prostatakrebs untersucht. **Checkpoint-Inhibitoren** sind eine Art von Medikamenten, die das Immunsystem dabei unterstützen, Krebszellen zu erkennen und anzugreifen, indem sie auf Proteine abzielen, mit denen sich Krebszellen gegen immunologische Angriffe verteidigen. Während Checkpoint-Inhibitoren bei anderen bösartigen Erkrankungen wie Melanom und Lungenkrebs von Vorteil waren, war ihre Wirksamkeit bei Prostatakrebs begrenzt. Die laufende Forschung zielt jedoch darauf ab, bestimmte Biomarker aufzudecken, die Prostatakrebs empfänglicher für diese Behandlungen machen könnten.

Vorteile der Immuntherapie

Einer der Hauptvorteile der Immuntherapie ist ihre Fähigkeit, eine hochgradig maßgeschneiderte Behandlung mit weniger systemischen Nebenwirkungen zu liefern. Im Gegensatz zur Chemotherapie, die sowohl gesunde als auch Krebszellen zerstört, stärkt die Immuntherapie hauptsächlich das Immunsystem

die Fähigkeit des Systems, Krebszellen anzugreifen, was häufig zu einer höheren Lebensqualität während der Behandlung führt. Darüber hinaus kann die Immuntherapie Männern mit fortgeschrittenem oder wiederkehrendem Prostatakrebs Hoffnung geben, bei denen Standardbehandlungen möglicherweise unwirksam sind.

Die Immuntherapie ist zwar nicht für alle Prostatakrebspatienten geeignet, bietet aber eine neue Alternative für Menschen mit bestimmten Krebsarten im fortgeschrittenen Stadium, insbesondere wenn die Hormontherapie versagt hat. Es stellt auch einen massiven Fortschritt in der maßgeschneiderten Medizin dar, da Medikamente wie Sipuleucel-T auf die Immunantwort jedes Patienten zugeschnitten sind.

Neue Therapien: PARP-Inhibitoren und Radiopharmazeutika

Neben der Immuntherapie sind auch andere neue Behandlungen für Prostatakrebs vielversprechend. Dazu gehören **PARP-Inhibitoren** und

Radiopharmazeutika, die auf neue Weise auf Krebszellen abzielen.

Wie Olaparib (Lynparza) und Rubraca zielen PARP-

Inhibitoren auf Tumore mit DNA-Reparaturanomalien ab. Diese Medikamente sind besonders vorteilhaft bei Männern mit Prostatakrebs, die Mutationen in den **BRCA1-** oder **BRCA2-Genen aufweisen**, die auch mit einem erhöhten Risiko für bösartige Brust- und Eierstockerkrankungen

verbunden sind. Durch die Hemmung des Enzyms PARP, das Krebszellen hilft, beschädigte DNA zu reparieren, führen diese Medikamente dazu, dass Krebszellen Schäden anhäufen und schließlich sterben. Diese zielgerichtete Strategie hat sich bei der Behandlung von Patienten mit fortgeschrittenem Prostatakrebs, die spezifische genetische Anomalien aufweisen, als vielversprechend erwiesen.

Radiopharmazeutika:

Eine weitere vielversprechende Therapieoption ist der Einsatz **von Radiopharmaka,** die zielgerichtete

Strahlung direkt auf Krebszellen. Ein Beispiel ist **Radium-223 (Xofigo),** eine radioaktive Substanz zur Behandlung von knochenmetastasiertem Prostatakrebs. Diese Behandlung ahmt Kalzium nach, das Krebszellen in den Knochen absorbieren, so dass die Strahlung Krebszellen selektiv abtöten kann, während gesundes Gewebe geschont wird. Radiopharmaka sind besonders hilfreich bei der Behandlung von Männern mit Knochenmetastasen, der Schmerzlinderung und der Verlängerung des Überlebens.

Kombinationstherapien als Zukunft der Behandlung von Prostatakrebs

Forscher beschäftigen sich zunehmend mit der Möglichkeit, verschiedene Behandlungen zu kombinieren, um die Ergebnisse für Männer mit Prostatakrebs zu verbessern. Kombinationstherapien können Immuntherapien, Hormontherapien, Chemotherapien oder zielgerichtete Medikamente wie PARP-Hemmer umfassen. Die Idee ist, Krebs von verschiedenen Seiten zu bekämpfen, das Risiko von Resistenzen zu senken und die therapeutische Gesamtwirksamkeit zu verbessern.

In laufenden klinischen Studien wird beispielsweise der Einsatz von **Checkpoint-Inhibitoren** in Kombination mit **PARP-Inhibitoren untersucht,** um eine robustere Immunantwort zu erzeugen und gleichzeitig Krebszellen daran zu hindern, sich wieder aufzubauen. Diese kombinierten Techniken könnten die Zukunft der Behandlung von

Prostatakrebs sein, insbesondere für Menschen mit fortgeschrittenen Krankheiten.

Erwarten

Die Landschaft der Behandlung von Prostatakrebs verändert sich schnell, da Immuntherapien und neuartige Medikamente neue Optionen für Männer in fortgeschrittenen Stadien der Krankheit bieten. Es wird erwartet, dass diese Therapien im Laufe der Forschung immer individueller werden, was zu wirksameren Behandlungen mit weniger Nebenwirkungen führt. Immuntherapien und andere hochmoderne Therapien gestalten die Zukunft der Behandlung von Prostatakrebs neu und bieten Männern zusätzliche Möglichkeiten, ihre Gesundheit zu managen und ihre Lebensqualität zu verbessern.

KAPITEL 6:
PROSTATAKREBSPRÄVENTION UND RISIKOREDUKTION

LEBENSSTILENTSCHEIDUNGEN, DIE DAS PROSTATAKREBSRISIKO VERRINGERN

Die Einführung bestimmter Lebensstilpraktiken kann das Risiko, an dieser Erkrankung zu erkranken, erheblich verringern. Während einige Risikofaktoren wie Alter, Genetik und Familienanamnese nicht geändert werden können, zeigt die Forschung, dass eine informierte Wahl des Lebensstils dazu beitragen kann, das Risiko von Prostatakrebs zu minimieren. Diese Optionen legen den Schwerpunkt auf Nahrung, körperliche Aktivität, gesundes Gewicht und andere vorbeugende Maßnahmen, die die allgemeine Gesundheit verbessern und das Wohlbefinden der Prostata fördern.

Eine prostatagesunde Ernährung

Die Ernährung spielt einen wesentlichen Bestandteil bei der Krebsprävention, und eine nährstoffreiche, ausgewogene Ernährung ist wichtig, um das Risiko von Prostatakrebs zu minimieren. Bestimmte Lebensmittel haben Eigenschaften, die der Prostata zugute kommen, während andere Entzündungen verursachen und die Wahrscheinlichkeit der Krebsentwicklung erhöhen können. Der Verzehr von Nährstoffen, die oxidativen Stress und Entzündungen minimieren, wirkt sich langfristig positiv auf die Gesundheit der Prostata aus.

1. Konzentrieren Sie sich auf Obst und Gemüse:

Obst und Gemüse enthalten einen hohen Gehalt an Vitaminen, Mineralien und Antioxidantien, die dazu beitragen, die Zellen vor Schäden durch freie Radikale zu schützen. Lycopin, ein starkes Antioxidans, das in Tomaten enthalten ist, wurde ausgiebig auf seine Fähigkeit untersucht, das Auftreten von Prostatakrebs zu verringern. Andere Obst- und Gemüsesorten wie Blattgemüse, Brokkoli und Beeren enthalten entzündungshemmende Chemikalien, die ein gesundes Immunsystem unterstützen.

2. Verwenden Sie gesunde Fette:

Omega-3-Fettsäuren, die in fettem Fisch wie Lachs, Makrele und Sardinen enthalten sind, haben entzündungshemmende Eigenschaften, die die Gesundheit der Prostata fördern. Die Aufnahme dieser gesunden Fette in Ihre Ernährung kann bei der Regulierung von Entzündungen im Körper helfen. Im Gegensatz dazu wird empfohlen, die Aufnahme von gesättigten Fettsäuren und Transfetten, die in verarbeiteten Lebensmitteln, rotem Fleisch und Vollfettmilchprodukten enthalten sind, zu begrenzen, da diese Fette mit einem erhöhten Risiko für viele bösartige Erkrankungen, einschließlich Prostatakrebs, in Verbindung gebracht wurden.

3. Wählen Sie Vollkornprodukte und Hülsenfrüchte:

Vollkornprodukte wie Hafer, brauner Reis und Quinoa sowie Hülsenfrüchte wie Bohnen und Linsen sind reich an Ballaststoffen. Ballaststoffe helfen, den Hormonspiegel auszugleichen und die Verdauungsgesundheit zu fördern. Eine Ernährung mit hohem Anteil an Vollkornprodukten und Ballaststoffen kann auch dazu beitragen, ein gesünderes Gewicht zu halten und das Krebsrisiko zu senken.

4. Begrenzen Sie verarbeitetes und rotes Fleisch.

Studien haben gezeigt, dass eine Ernährung mit hohem Anteil

an rotem und verarbeitetem Fleisch das Risiko für

Prostatakrebs erhöhen kann. Die Reduzierung des Konsums bestimmter Artikel, die häufig reich an gesättigten Fetten und potenziell giftigen Konservierungsstoffen sind, kann dazu beitragen, das Risiko zu verringern. Wählen Sie stattdessen magere Proteine wie Hühnchen, Fisch und pflanzliche Quellen.

Regelmäßige körperliche Aktivität

Körperlich aktiv zu bleiben ist ein wesentlicher Bestandteil, um die Inzidenz von Prostatakrebs zu senken und die allgemeine Gesundheit zu verbessern. Regelmäßige Bewegung hilft, den Hormonspiegel zu kontrollieren, stärkt das Immunsystem und hält Sie gesund, was für die Krebsprävention von entscheidender Bedeutung ist.

1. Aerobic-Übungen: Aerobic-Übungen wie Gehen, Joggen, Schwimmen oder Radfahren für mindestens

150 Minuten pro Woche sind gut für die kardiovaskuläre Gesundheit und die Krebsprävention. Aerobic reduziert das Körperfett, was mit einem erhöhten Risiko für verschiedene bösartige Erkrankungen, einschließlich Prostatakrebs, in

Verbindung gebracht wird. Fettleibigkeit wurde mit schwereren Arten von Prostatakrebs in Verbindung gebracht, daher ist die Aufrechterhaltung eines gesunden Gewichts von entscheidender Bedeutung.

2. Krafttraining: Mindestens zweimal pro Woche werden Krafttrainingsübungen wie Gewichtheben oder Widerstandsbandtraining durchgeführt, um das Muskelwachstum, die Knochendichte und den Stoffwechsel zu fördern. Muskelmasse hilft dem Körper, Kalorien effizienter zu verbrennen, hilft bei der Gewichtskontrolle und verringert das Krebsrisiko.

3. Flexibilitäts- und Gleichgewichtsübungen: Yoga und Stretching sind gute Möglichkeiten, um die Flexibilität zu erhöhen und Verspannungen abzubauen. Vor allem Yoga ist dafür bekannt, dass es

Verringern Sie Entzündungen und erhöhen Sie die Entspannung, was dem Immunsystem und dem allgemeinen Wohlbefinden zugute kommen kann.

Gewichtsmanagement.

Die Aufrechterhaltung eines gesunden Gewichts ist eine der

effektivsten Methoden, um das Risiko für Prostatakrebs zu senken. Überschüssiges Körperfett, insbesondere um den Bauch herum, wurde mit einem erhöhten Spiegel von Hormonen wie Insulin und Östrogen in Verbindung gebracht, die die Proliferation von Krebszellen fördern können. Darüber hinaus erhöht Fettleibigkeit die Wahrscheinlichkeit von aggressivem Prostatakrebs, der möglicherweise schwieriger zu heilen ist.

Schon eine geringe Gewichtsabnahme bei übergewichtigen Männern kann ihr Krebsrisiko drastisch senken. Die Kombination einer nahrhaften Ernährung mit regelmäßiger körperlicher Aktivität ist der nachhaltigste Weg, um ein gesundes Gewicht zu erreichen und zu halten.

Stressbewältigung

Es wurde festgestellt, dass chronischer Stress das Immunsystem schwächt, Entzündungen hervorruft und Hormonstörungen verursacht, was das Krebsrisiko erhöhen kann. Die Einbeziehung von Stressbewältigungspraktiken in

Ihren Alltag kann dazu beitragen, diese Auswirkungen zu verhindern und die langfristige Gesundheit zu fördern.

1. Achtsamkeit und Meditation:

Achtsamkeit oder Meditation für ein paar Minuten täglich zu üben kann helfen, Stress abzubauen und ein emotionales Gleichgewicht zu schaffen. Diese Aktivitäten fördern die Entspannung und senken den Cortisolspiegel, ein Stresshormon, das die Gesundheit der Prostata beeinträchtigen kann.

2. Schlaf und Ruhe:

Die Priorisierung von qualitativ hochwertigem Schlaf ist ein weiterer wichtiger Bestandteil der Stressbewältigung. Schlechte Schlafmuster können die Standardreparaturmechanismen des Körpers beeinträchtigen, das Immunsystem schwächen und das Risiko für chronische

Krankheiten wie Krebs. Die Etablierung eines konsistenten Schlafplans, der auf 7-9 Stunden Schlaf pro Nacht abzielt, kann dazu beitragen, die Immunfunktion und das allgemeine Wohlbefinden zu fördern.

Regelmäßige Vorsorgeuntersuchungen und medizinische Untersuchungen

Eine frühzeitige Erkennung ist für die Vorbeugung von fortgeschrittenem Prostatakrebs von entscheidender

Bedeutung. Regelmäßige Screenings, einschließlich Prostata-spezifischer Antigentests (PSA) und digitaler rektaler Untersuchungen (DRE), helfen bei der Früherkennung potenzieller Probleme und erleichtern den Zugang zur Behandlung. Männer sollten sich mit ihrem Arzt darüber beraten, wann sie mit Prostatakrebstests beginnen sollten, basierend auf ihren Risikofaktoren wie Alter, Familienanamnese und Rasse.

Die meisten Männer beginnen mit Vorsorgeuntersuchungen im Alter von etwa 50 Jahren, aber Personen mit einer familiären Vorgeschichte von Prostatakrebs oder Personen afrikanischer Herkunft, die ein höheres Risiko haben, müssen möglicherweise früher damit beginnen. Regelmäßige Kontrollen und Tests

sind wichtig, um das Risiko eines fortgeschrittenen Prostatakrebses zu minimieren.

Männer können ihr Risiko, an Prostatakrebs zu erkranken,

drastisch reduzieren, indem sie bewusste Lebensstilentscheidungen treffen, wie z. B. eine gute Ernährung, regelmäßige Bewegung und Stressbewältigung. Obwohl keine Methode das Risiko vollständig beseitigen kann, verhindern diese Aktivitäten nicht nur Prostatakrebs, sondern verbessern auch die allgemeine Gesundheit und

Langlebigkeit. Regelmäßige Tests und das Wissen über individuelle Risikofaktoren helfen, die Präventionsbemühungen zu verbessern.

DIÄT- UND ERNÄHRUNGSFAKTOREN ZUR KREBSPRÄVENTION

Ernährung und Ernährung spielen eine entscheidende Rolle bei der Krebsprävention, insbesondere bei Prostatakrebs. Obwohl die Genetik und andere unkontrollierte Variablen zum Krebsrisiko beitragen, zeigt die Forschung, dass einige

Entscheidungen können die Wahrscheinlichkeit verringern, an Prostatakrebs zu erkranken. Männer können ihre allgemeine Gesundheit verbessern und ihr Risiko für Prostatakrebs verringern, indem sie nährstoffreiche Mahlzeiten zu sich nehmen, gefährliche Mahlzeiten minimieren und für eine ausgewogene Zufuhr von Vitaminen und Mineralstoffen sorgen.

Die Rolle von Antioxidantien

Antioxidantien schützen die Zellen vor freien Radikalen und instabilen Molekülen, die oxidativen Stress verursachen und

das Krebsrisiko erhöhen. Indem Sie antioxidantienreiche Lebensmittel in Ihre Ernährung aufnehmen, können Sie dazu beitragen, Zellschäden zu verhindern und die allgemeine Zellgesundheit zu unterstützen.

1. Lycopinreiche Lebensmittel:

Lycopin ist ein starkes Antioxidans, das in Tomaten, Wassermelonen und rosa Grapefruit vorkommt. Mehrere Studien deuten darauf hin, dass Männer, die mehr Lycopin konsumieren, ein geringeres Risiko für Prostatakrebs haben. Das Kochen von Tomaten, z. B. in Tomatensauce oder Suppe, verbessert den Lycopingehalt

Bioverfügbarkeit, die es dem Körper ermöglicht, es leichter aufzunehmen und zu verwerten.

2. Beeren und andere Früchte:

Erdbeeren, Heidelbeeren und Brombeeren sind reich an Antioxidantien wie Vitamin C und Flavonoiden. Diese Substanzen helfen, Entzündungen zu reduzieren, das Immunsystem zu stärken und die Zellen vor Verletzungen zu schützen. Bei regelmäßigem Verzehr bieten Beeren einen natürlichen Schutz vor zellulären Veränderungen, die zur Krebsentstehung beitragen könnten.

3. Kreuzblütlergemüse:

Die Familie der Kreuzblütler, zu denen Brokkoli, Blumenkohl, Grünkohl und Rosenkohl gehören, ist für ihre krebsbekämpfenden Fähigkeiten bekannt. Sulforaphan, eine Chemikalie, die in mehreren Gemüsesorten vorkommt, hilft dem Körper, giftige Verbindungen auszuscheiden und kann die Bildung von Krebszellen begrenzen. Wenn Sie dieses Gemüse in

Ihre Ernährung, mehrmals pro Woche, kann dazu beitragen, Ihr Prostatakrebsrisiko zu minimieren.

Gesunde Fette und ihre Bedeutung

Fette sind ein wesentlicher Bestandteil der Ernährung, aber die

Art der Fette, die konsumiert wird, hat einen erheblichen Einfluss auf die Krebsprävention. Eine Ernährung, die reich an gesättigten Fettsäuren und Transfetten ist, die häufig in rotem Fleisch, verarbeiteten Lebensmitteln und Vollmilchprodukten enthalten sind, wurde mit einem erhöhten Risiko für Prostatakrebs in Verbindung gebracht. Bessere Fette können jedoch Schutz bieten.

1. Omega-3-Fettsäuren:

Omega-3-Fettsäuren in fettem Fisch wie Lachs, Makrele und

Sardinen haben entzündungshemmende Eigenschaften, die die allgemeine Gesundheit fördern. Diese nützlichen Fette helfen, Entzündungen im Körper zu reduzieren, die mit der Entwicklung von Krebs in Verbindung gebracht werden. Omega-3-Fettsäuren können auch die Herzgesundheit verbessern und das Risiko anderer chronischer Krankheiten senken, was sie zu einem unverzichtbaren Bestandteil macht.

Bestandteil einer gesunden Ernährung.

2. Pflanzliche Fette:

Neben Omega-3-Fettsäuren schützen pflanzliche Fette wie Olivenöl, Avocados und Nüsse vor Entzündungen und fördern die Zellgesundheit. Der Ersatz schädlicher Fette durch pflanzliche Alternativen senkt nicht nur das Risiko für Prostatakrebs, sondern fördert auch die allgemeine Gesundheit.

Ballaststoffreiche Lebensmittel und Vollkornprodukte

Es hat sich gezeigt, dass ballaststoffreiche Diäten eine gute Verdauung fördern und helfen können, den Hormonspiegel zu kontrollieren, was beides das Krebsrisiko erhöht. Ballaststoffe fördern auch ein gesundes Gewicht, was von

entscheidender Bedeutung ist, da Fettleibigkeit mit aggressivem Prostatakrebs in Verbindung gebracht wird.

1. Vollkornprodukte:

Brauner Reis, Quinoa, Vollkorn, Hafer und Gerste sind reich an Ballaststoffen und enthalten wichtige Mineralien wie

Vitamine B und E, Selen und Magnesium. Vollkornprodukte werden wenig verarbeitet, was dazu beiträgt, ihren Ballaststoffgehalt und Nährwert zu erhalten. Vollkornprodukte können helfen, den Blutzuckerspiegel zu regulieren und die Verdauung zu unterstützen, wodurch das Krebsrisiko gesenkt wird.

2. Hülsenfrüchte:

Bohnen, Linsen, Kichererbsen und Erbsen sind ballaststoffreiche Mahlzeiten, die die Verdauung unterstützen und eine pflanzliche Proteinquelle darstellen. Diese Hülsenfrüchte enthalten Phytoöstrogene, die die Wirkung von Östrogen im Körper nachahmen und vor hormonbedingten bösartigen Erkrankungen wie Prostatakrebs schützen können.

Begrenzen Sie rotes und verarbeitetes Fleisch

Eine Ernährung, die reich an rotem und verarbeitetem Fleisch

ist, wurde mit einem erhöhten Risiko für Prostatakrebs und andere Krebsarten in Verbindung gebracht. Insbesondere verarbeitetes Fleisch enthält Konservierungsstoffe und Zusatzstoffe wie Nitrate,

die das Krebswachstum fördern können.

1. Reduzieren Sie den Fleischkonsum:

Die Reduzierung des Verzehrs von rotem Fleisch wie Rind, Schwein und Lamm und die Erhöhung pflanzlicher Proteinquellen wie Bohnen, Linsen und Tofu können das Krebsrisiko senken. Wenn rotes Fleisch verzehrt wird, kann die Wahl dünnerer Stücke und das Garen bei niedrigeren

Temperaturen, um Verkohlung zu vermeiden, die negativen Folgen des Fleischkonsums verringern.

2. Vermeiden Sie verarbeitetes Fleisch:

Speck, Würstchen, Hot Dogs und anderes verarbeitetes Fleisch sollten aufgrund ihres krebserregenden Potenzials so wenig wie möglich verzehrt werden. Integrieren Sie stattdessen mehr pflanzliche Proteine und mageres Fleisch wie Huhn oder Fisch.

Die Funktion von Vitaminen und Mineralstoffen

Vitamine und Mineralstoffe sind wichtig für die allgemeine Gesundheit und

krebsprävention. Während die Einnahme dieser Nährstoffe aus der Nahrung vorzuziehen ist, können in einigen Situationen Nahrungsergänzungsmittel erforderlich sein, insbesondere für Menschen mit diätetischen Einschränkungen.

1. Vitamin D.

Vitamin D verbessert die immunologische Funktion und kann die Inzidenz von Prostatakrebs senken. Sonneneinstrahlung ist eine natürliche Quelle für Vitamin D, aber in kälteren Klimazonen oder für Männer, die die meiste Zeit im Haus verbringen, können Nahrungsergänzungsmittel erforderlich sein, um die Werte akzeptabel zu halten. Vitamin-D-reiche Lebensmittel wie angereicherte Milchprodukte, fetter Fisch und Eier sollten in die Ernährung aufgenommen werden.

2. Selen, Zink:

Selen und Zink sind Spurenelemente, die die Immunfunktion unterstützen und auf ihre möglichen Vorteile gegen Prostatakrebs untersucht wurden. Paranüsse sind reich an Selen und Zink ist in Kürbis enthalten

Samen, Schalentiere und Vollkornprodukte.

Mäßigung des Alkoholkonsums

Während mäßiger Alkoholkonsum einige gesundheitliche Vorteile haben kann, wurde starker Alkoholkonsum mit einem erhöhten Risiko für verschiedene bösartige Erkrankungen, einschließlich Prostatakrebs, in Verbindung gebracht. Die Begrenzung des Alkoholkonsums auf angemessene Mengen – bis zu zwei Getränke pro Tag für Männer – kann dazu beitragen, das Krebsrisiko zu minimieren.

Diät und Ernährung sind wirksame Methoden, um das Risiko

für Prostatakrebs zu senken. Männer können ihre allgemeine Gesundheit verbessern und ihr Risiko, an Prostatakrebs zu erkranken, verringern, indem sie antioxidantienreiche Lebensmittel, gesunde Fette, Ballaststoffe sowie essentielle Vitamine und Mineralien in ihre normale Ernährung integrieren und gleichzeitig verarbeitetes Fleisch und Alkohol reduzieren. Bewusste Ernährungsentscheidungen sind für jede proaktive Krebspräventionsstrategie von entscheidender Bedeutung.

Aufklärung über Gesundheitserziehung in der Gemeinde und im Bereich der Prostata

Prostatakrebs ist eines der häufigsten Gesundheitsprobleme bei Männern weltweit, und die Sensibilisierung ist für die Vorbeugung und Behandlung der Erkrankung von entscheidender Bedeutung. Die Aufklärung der Gemeinden über Prostatakrebs, seine Risikofaktoren und die Bedeutung der Früherkennung kann Leben retten. Die Aufklärung über die Gesundheit der Prostata muss zugänglich, kulturell sensibel und umfassend verbreitet sein und Männer dazu ermutigen, proaktive Schritte zur Erhaltung ihrer Gesundheit zu unternehmen und sich routinemäßigen Untersuchungen zu unterziehen. Ein erhöhtes Bewusstsein kann ein unterstützendes Umfeld schaffen, in dem sich Männer befähigt fühlen, ihrer Gesundheit Priorität einzuräumen und fundierte Entscheidungen über die Prävention von Prostatakrebs zu treffen.

Die Bedeutung des Bewusstseins für Prostatakrebs

Obwohl Prostatakrebs ein schwerwiegendes

Gesundheitsproblem darstellt

Selten erhält sie die gleiche öffentliche Aufmerksamkeit wie andere Krebsarten. Viele Männer sind nicht über die Gefahren informiert, die mit Prostatakrebs verbunden sind, oder darüber, wie sie ihre Chancen, an Prostatakrebs zu erkranken, verringern können. Prostatakrebs verläuft im Frühstadium in der Regel asymptomatisch, so dass er ohne regelmäßige Vorsorgeuntersuchungen nur schwer zu erkennen ist. Dies unterstreicht die Bedeutung von Sensibilisierungsinitiativen, die Männer dazu ermutigen, sich über die Krankheit, ihre

Symptome und mögliche Präventionsmöglichkeiten zu informieren.

Die Sensibilisierung kann die Wissenslücke bei Männern jeden Alters schließen. Jüngere Männer unterschätzen möglicherweise den Wert der Früherziehung, während ältere Männer aus Angst oder Missverständnissen auf Screenings verzichten. Sensibilisierungsbemühungen müssen diese Probleme angehen, indem die Diskussion über die Gesundheit der Prostata normalisiert und häufige medizinische Kontrollen gefördert werden.

Öffentlichkeitsarbeit und Bildungsprogramme

Eine der effektivsten Methoden zur Erziehung

Das Bewusstsein für Prostatakrebs erfolgt durch gemeindebasierte Gesundheitsaufklärungsprogramme. Diese Programme können an die individuellen Bedürfnisse verschiedener Gruppen angepasst werden, wobei kulturelle, wirtschaftliche und soziale Aspekte berücksichtigt werden, die die Art und Weise beeinflussen können, wie Gesundheitsinformationen empfangen werden.

1. Zusammenarbeit mit lokalen Organisationen:

Die Zusammenarbeit mit lokalen Organisationen wie Gesundheitskliniken, Gemeindezentren und religiösen Einrichtungen ermöglicht es uns, die Aufklärung über die Gesundheit der Prostata direkt an die Bevölkerung zu bringen, die sie am dringendsten benötigt. Diese Gruppen haben bereits vertrauensvolle Beziehungen zu den Mitgliedern der Nachbarschaft und sind damit hervorragende Partner für die Verbreitung von Gesundheitsinformationen. Workshops, Gesundheitsmessen und Seminare bieten Männern die Möglichkeit, in einem unterstützenden Rahmen mehr über Prostatakrebs zu erfahren.

2. Kultursensible Bildungsmaterialien:

Verschiedene ethnische Gruppen können unterschiedliche Ansichten über

Gesundheit und medizinische Versorgung, die beeinflussen können, wie Männer die Prävention von Prostatakrebs wahrnehmen. Die Bereitstellung kulturell angemessener Bildungsmaterialien in vielen Sprachen stellt sicher, dass Gesundheitsinformationen für alle zugänglich sind, unabhängig von ihrer Herkunft. Diese Ressourcen sollten typische Hürden für die Gesundheit der Prostata angehen, wie

z. B. Stigmatisierung, Angst und mangelndes Wissen über die Erkrankung und ihre Behandlung.

3. Männer jeden Alters einbeziehen:

Bildungsmaßnahmen sollten sich an Männer im Laufe ihres Lebens richten, von jungen Erwachsenen bis hin zu älteren Männern. Jüngere Männer müssen frühzeitig darüber aufgeklärt werden, wie wichtig es ist, die Gesundheit der Prostata zu erhalten und gesunde Praktiken einzuführen, die das Krebsrisiko senken. Männer mittleren Alters sollten dringend zu häufigen Vorsorgeuntersuchungen und medizinischen Untersuchungen aufgefordert werden, insbesondere wenn sie aufgrund ihrer Familienanamnese oder anderer Umstände ein höheres Risiko haben. Ältere Männer benötigen möglicherweise weitere Hilfe, um die Angst oder den Widerwillen zu überwinden

Abschirmung.

Prostatakrebsvorsorge und -früherkennung.

Die Förderung regelmäßiger Prostatakrebsvorsorgeuntersuchungen ist ein wesentlicher

Bestandteil der Gesundheitserziehung in der Gemeinde. Eine frühzeitige Entdeckung verbessert die Chancen auf eine wirksame Therapie erheblich, da Prostatakrebs häufig besser kontrollierbar und weniger invasiv zu heilen ist.

1. Förderung von PSA-Tests:

Der Prostata-spezifische Antigen (PSA)-Test ist eine weit verbreitete Screening-Methode zur Bestimmung des PSA-Spiegels im Blut. Erhöhte PSA-Werte können auf das Vorhandensein von Prostatakrebs oder anderen Prostataerkrankungen hindeuten. Kommunale Gesundheitsaufklärungskampagnen sollten den PSA-Test entmystifizieren, indem sie beschreiben, wie er funktioniert und warum er ein wesentlicher Aspekt der Vorsorge ist. Männer sollten ermutigt werden, PSA-Tests mit ihren Ärzten zu besprechen, insbesondere wenn sie über 50 Jahre alt sind oder höhere Risikofaktoren haben, wie z. B. a

Familienanamnese von Prostatakrebs.

2. Bereitstellung kostenloser oder kostengünstiger Screening-Veranstaltungen:

Vorsorge kann unerschwinglich teuer sein, insbesondere für

Männer, die nicht über einen ausreichenden Krankenversicherungsschutz verfügen. Die Durchführung kostenloser oder kostengünstiger Vorsorgeuntersuchungen in Zusammenarbeit mit lokalen Gesundheitsgruppen kann Männern helfen, diese Barriere zu überwinden und Zugang zu Früherkennungsdiensten zu erhalten. Diese Veranstaltungen können über lokale Medien, soziale Medien und Community-Netzwerke bekannt gemacht werden, um eine breite Teilnahme zu gewährleisten.

3. Aufklärung über Risikofaktoren:

Männer müssen die genauen Risikofaktoren kennen, die ihre Chancen auf Prostatakrebs erhöhen können. Alter, Familienanamnese, Rasse (insbesondere afroamerikanische Männer, die ein höheres Risiko haben) und Lebensstilfaktoren wie Ernährung und Bewegung sollten

in Bildungsinitiativen hervorgehoben werden. Das Erkennen dieser Risikofaktoren ermöglicht es Männern, fundiertere

Gesundheitsentscheidungen zu treffen und Maßnahmen zu ergreifen, um ihr Risiko zu verringern.

Schaffung eines unterstützenden Umfelds

Der Aufbau einer unterstützenden Community rund um die Gesundheit der Prostata ist mehr als nur das Anbieten von Informationen. Es fördert ein Umfeld, in dem sich Männer wohl fühlen, wenn sie ihre gesundheitlichen Bedenken ansprechen und bei Bedarf Hilfe erhalten. Dies kann durch Peer-Support-Gruppen, offene Foren und die Teilnahme von Gesundheitsexperten erreicht werden, die darin geschult sind, Männer in sinnvolle Gespräche über die Gesundheit der Prostata einzubeziehen.

1. Einrichten von Peer-Support-Netzwerken:

Männer sind möglicherweise eher bereit, sich um ihre Gesundheit zu kümmern, wenn sie sich von Gleichaltrigen unterstützt fühlen. Organisation von Selbsthilfegruppen, in denen Männer über ihre

Erfahrungen mit Prostatakrebsvorsorge, -prävention oder -behandlung tragen dazu bei, ein Gemeinschaftsgefühl zu fördern und andere dazu zu bewegen, sich häufig untersuchen zu lassen. Diese Organisationen können auch

emotionale Unterstützung für Männer bieten, die sich einer Behandlung oder Rehabilitation unterziehen.

2. Fördern Sie die Beteiligung der Familie:

Familienmitglieder sind für die Entscheidung eines Mannes, sich medizinisch behandeln zu lassen, von entscheidender Bedeutung. Die Einbeziehung von Familien in die Aufklärung über die Gesundheit der Prostata stellt sicher, dass Männer die Pflege erhalten, die sie zu Hause benötigen. Ehepartner, Kinder und andere Familienmitglieder können Männer dazu ermutigen, ihrer Gesundheit Priorität einzuräumen und häufig an Vorsorgeuntersuchungen teilzunehmen.

Die Sensibilisierung für Prostatakrebs durch Aufklärung und Öffentlichkeitsarbeit in der Gemeinde ist entscheidend, um das Auftreten der Krankheit zu senken. Gemeinschaften können Männern helfen, ihre Prostatagesundheit in die Hand zu nehmen, indem sie zugängliche, kulturell relevante Informationen anbieten,

Förderung regelmäßiger Vorsorgeuntersuchungen und Förderung eines unterstützenden Umfelds. Mit einem besseren Verständnis können Männer proaktive Entscheidungen treffen, die eine frühzeitige Erkennung

fördern und ihr Risiko, an Prostatakrebs zu erkranken, verringern.

FRÜHERKENNUNGSMÖGLICHKEITEN FÜR KREBS

Die Früherkennung von Prostatakrebs kann die Behandlungsergebnisse und Überlebensraten deutlich verbessern. Männer, die Krebs im Frühstadium erkennen, bevor er sich auf andere Teile des Körpers ausbreitet, haben mehr Behandlungsmöglichkeiten und eine bessere Chance, die Krankheit erfolgreich zu behandeln. Für die Früherkennung von Prostatakrebs gibt es verschiedene Vorsorgeverfahren, die jeweils Vor- und Nachteile haben. Das Verständnis dieser Screening-Methoden und des Zeitpunkts, zu dem sie angewendet werden sollten, kann Männern und ihren Ärzten helfen, fundierte Entscheidungen in Bezug auf die Gesundheit der Prostata zu treffen.

Die Bedeutung der Früherkennung

Prostatakrebs wächst oft langsam, und viele Männer bemerken die Symptome erst, wenn die Krankheit fortgeschritten ist. Dies macht ein regelmäßiges Screening zu

einem wichtigen Bestandteil der Gesundheitsvorsorge, insbesondere für Männer, die aufgrund von Merkmalen wie

Alter, Familienanamnese oder Rasse einem höheren Risiko ausgesetzt sind. Die Früherkennung ermöglicht rechtzeitiges Handeln, verhindert das Fortschreiten der Krebserkrankung und reduziert den Bedarf an invasiveren Therapien.

Das Screening wird in der Regel für Männer in den 50ern empfohlen, obwohl diejenigen mit einer familiären Vorgeschichte von Prostatakrebs oder mit höherem Risiko möglicherweise früher damit beginnen müssen. Es ist wichtig, sich mit einem Arzt über spezifische Risikofaktoren und den optimalen Zeitpunkt für den Beginn des Screenings zu beraten.

Prostataspezifischer Antigen (PSA)-Test

Der Prostata-spezifische Antigen (PSA)-Test ist einer der

Die am häufigsten verwendeten Screening-Tests für Prostatakrebs. PSA ist ein Protein, das von der Prostata produziert wird. Erhöhte PSA-Werte im Blut können auf Prostatakrebs hinweisen. Ein hoher PSA-Wert kann aber auch durch andere Erkrankungen verursacht werden, wie zum Beispiel die gutartige Prostatahyperplasie (BPH) oder die

Prostatitis. Ein höherer PSA-Wert bedeutet also nicht immer Malignität.

So funktioniert das:

Der PSA-Test ist eine einfache Blutabnahme, und die Ergebnisse zeigen den PSA-Spiegel im Blutkreislauf. Obwohl es keinen "normalen" PSA-Wert für alle Männer gibt, achten Gesundheitsexperten im Laufe der Zeit auf einen signifikanten Anstieg des PSA-Werts oder auf Werte, die für das Alter eines Mannes außergewöhnlich hoch sind. Wenn der PSA-Wert erhöht ist, können weitere Tests erforderlich sein, um die Ursache zu ermitteln.

Vorteile von PSA-Tests:

- Es handelt sich um ein nicht-invasives, weit verbreitetes Screening

Methode.

- Es kann Prostatakrebs im Frühstadium erkennen, noch bevor Symptome auftreten.

- Regelmäßige PSA-Tests können helfen, die Schwankungen des PSA-Spiegels im Laufe der Zeit zu verfolgen und wertvolle Informationen über die Gesundheit der Prostata zu

liefern.

Einschränkungen des PSA-Tests:

- Hohe PSA-Werte weisen nicht immer auf Krebs hin, was zu falsch positiven Ergebnissen und unnötiger Besorgnis führt.

- Bestimmte Prostatatumoren produzieren möglicherweise keine signifikanten PSA-Werte, was zu falsch negativen Ergebnissen führt.

Trotz dieser Einschränkungen ist der PSA-Test nach wie vor ein unverzichtbares Instrument zur Früherkennung und kann hilfreiche Informationen liefern, um zukünftige Tests oder Überwachungen zu steuern.

Digitale rektale Untersuchung (DRE)

Die **digitale rektale Untersuchung (DRE)** ist eine weitere Methode zur Erkennung von Anomalien der Prostata. Während einer DRE führt ein Arzt einen behandschuhten, geschmierten Finger in das Rektum ein, um nach Anomalien wie Knoten oder harten Stellen zu suchen. Während einige Männer den Prozess als schmerzhaft empfinden, ist er kurz und kann wertvolle Informationen über die Gesundheit der Prostata liefern.

So funktioniert das:

Die DRE ermöglicht es dem Arzt, die Größe, Form und Textur der Prostata manuell zu untersuchen. Eventuelle Anomalien können zusätzliche Tests erforderlich machen, wie z. B. einen PSA-Test oder eine Prostatabiopsie, um festzustellen, ob Krebs vorliegt.

DRE-Vorteile: - Erkennt körperliche Veränderungen in der Prostata, die ein PSA-Test allein nicht erkennen kann. - Es handelt sich um eine einfache, kurze Behandlung, die während einer typischen medizinischen Untersuchung durchgeführt werden kann.

Einschränkungen der DRE: - Es kann sein, dass winzige oder frühe Tumore, die während der Untersuchung schwer zu ertasten sind, nicht erkannt werden. - Die Untersuchung kann schmerzhaft sein, und einige Männer zögern möglicherweise, sie zu ertragen.

Die Kombination von DRE- und PSA-Tests ermöglicht eine umfassendere Beurteilung der Prostatagesundheit, was dazu beiträgt, die Genauigkeit der Früherkennung zu erhöhen.

MRT und fortschrittliche bildgebende Verfahren.

Männer mit erhöhten PSA-Werten oder abweichenden DRE-

Ergebnissen können von zusätzlichen bildgebenden Untersuchungen profitieren, um ihre Prostata besser zu verstehen. **Die Magnetresonanztomographie (MRT)** ist eine der fortschrittlichsten bildgebenden Verfahren zur Diagnose von Prostatakrebs. MRT-Scans können präzise Bilder der Prostata und des umgebenden Gewebes liefern, so dass Ärzte besorgniserregende Regionen identifizieren und feststellen können, ob sich der Krebs ausgebreitet hat.

So funktioniert das:

Ein MRT erstellt detaillierte Prostatabilder durch die Kombination von Magnetfeldern und Radiowellen. Gelegentlich wird eine spezielle Technik, **die als multiparametrische MRT bekannt** ist, verwendet, um noch spezifischere Informationen über Prostataanomalien zu erhalten, wie z. B. das Vorhandensein und die Schwere von Krebserkrankungen.

MRT-Scans liefern klare und exakte Bilder, die zu genaueren Diagnosen führen.

- Die MRT kann helfen, Biopsien zu leiten, indem sie bestimmte Stellen der Prostata identifiziert, die zusätzliche Untersuchungen erfordern.

Einschränkungen der MRT:

- Die MRT ist teurer als andere Screening-Verfahren und möglicherweise nicht in allen Gesundheitseinrichtungen zugänglich.

- Die Behandlung dauert länger als ein PSA-Test oder DRE, und die Patienten müssen bewegungslos im Gerät sitzen, was einige Männer als unangenehm empfinden.

Prostata-Biopsie.

Wenn die Screening-Befunde auf das Vorhandensein von Prostatakrebs hinweisen, kann eine **Prostatabiopsie** erforderlich sein, um die Diagnose zu bestätigen. Bei einer Biopsie werden kleine Gewebeproben der Prostata entnommen und unter dem Mikroskop auf bösartige Zellen untersucht.

So funktioniert das:

Eine Nadel wird oft verwendet, um eine Biopsie durch das Rektum oder Perineum durchzuführen. Die Operation wird durch Ultraschall oder MRT geführt, um sicherzustellen, dass die entsprechenden Teile der Prostata entnommen werden. Biopsien sind zwar im Allgemeinen sicher, können aber Unbehagen verursachen und ein geringes Infektionsrisiko darstellen.

Vorteile der Prostatabiopsie:

- Eine Biopsie liefert einen eindeutigen Beweis dafür, dass eine Malignität vorliegt.

- Es trägt dazu bei, die Aggressivität der Malignität zu bestimmen, die die Auswahl der Behandlung beeinflusst.

Einschränkungen einer Prostatabiopsie:

Der Prozess ist invasiv und kann zu Beschwerden führen. Es besteht eine geringe Wahrscheinlichkeit von Problemen, einschließlich Infektionen oder Blutungen.

Das Screening auf Prostatakrebs ist für die Früherkennung von entscheidender Bedeutung, und Ärzte haben zahlreiche Möglichkeiten, die Gesundheit der Prostata zu beurteilen und potenzielle Probleme zu erkennen, bevor sie schwerwiegend werden. Der PSA-Test, DRE und fortschrittliche bildgebende Verfahren wie MRT spielen eine wesentliche Rolle, wenn es darum geht, Männern zu helfen, sich proaktiv um ihre Gesundheit zu kümmern. Männer können ihre Chancen auf eine erfolgreiche Behandlung von Prostatakrebs verbessern, indem sie individuelle Risikofaktoren und Screening-Alternativen mit ihrem Arzt besprechen.

KAPITEL 7: UMGANG MIT DER DIAGNOSE VON PROSTATAKREBS

UNTERSTÜTZUNG DER EMOTIONALEN UND PSYCHISCHEN GESUNDHEIT

Die Diagnose Prostatakrebs kann stressig sein und eine Vielzahl von Gefühlen hervorrufen, darunter Angst, Angst, Traurigkeit und Unsicherheit. Viele Männer fühlen sich verletzlich, nachdem sie die Nachricht gehört haben, da Krebs ihre Gesundheit und ihr Wohlbefinden direkt bedroht. Das Navigieren in diesem komplexen emotionalen Terrain ist ebenso wichtig wie der Umgang mit den körperlichen Komponenten der Erkrankung. Emotionale und psychische Unterstützung ist ein wesentlicher Bestandteil des Umgangs mit der Diagnose Prostatakrebs, da sie Männern und ihren

geliebte Menschen: die Werkzeuge, die sie brauchen, um die emotionale Belastung zu bewältigen, die oft mit der Krankheit einhergeht.

Die emotionalen Auswirkungen einer Krebsdiagnose.

Die Diagnose Prostatakrebs löst oft eine Reihe von Emotionen aus, deren Ausmaß je nach den Umständen, der Persönlichkeit und dem Unterstützungssystem des Einzelnen variiert. Männer können schockiert oder ungläubig sein, wenn sie die Nachricht hören, vor allem, wenn sie vor der Diagnose keine Symptome hatten. Wenn der Ernst der Situation eindringt, können sich die Menschen Sorgen um ihre Zukunft, die Wirksamkeit der Behandlung und die Auswirkungen der Krankheit auf ihr Leben und ihre Familie machen.

Zu den emotionalen Reaktionen auf eine Prostatakrebsdiagnose können gehören:

- **Angst:** Patienten äußern häufig Bedenken über die Prognose, die Behandlung und mögliche Nebenwirkungen. Männer können besorgt darüber sein, wie sich die Erkrankung entwickeln wird

ihre Lebensqualität beeinflussen und ob sie diese erobern können.

Trauer und Trauer: Es wird erwartet, dass man einen Verlust empfindet, vor allem dann, wenn die Diagnose den Alltag oder Zukunftspläne betrifft. Die möglichen Auswirkungen auf

die körperliche Gesundheit, Beziehungen und das Selbstbild können zu Unzufriedenheit führen.

- **Wut oder Frustration:** Einige Männer sind möglicherweise wütend über ihre Diagnose, fragen sich: "Warum ich?" und kämpfen mit der Ungerechtigkeit der Situation.

- **Unsicherheit:** Eine Diagnose beinhaltet häufig zahlreiche Unbekannte, wie z. B. Behandlungsmöglichkeiten, Prognose und Langzeitfolgen. Diese Unklarheit kann zu anhaltendem Stress führen.

Zu verstehen, dass diese Emotionen ein natürlicher Teil des Prozesses sind, wird Männern helfen zu erkennen, dass sie mit ihren Gefühlen nicht allein sind. Die Schwierigkeit besteht darin, geeignete Strategien für den Umgang mit diesen Gefühlen zu finden und gleichzeitig das geistige und emotionale Wohlbefinden während der Behandlung und Genesung in den Vordergrund zu stellen.

Auf der Suche nach emotionaler Unterstützung

Eines der wichtigsten Dinge, die Männer nach einer Diagnose tun können, ist, emotionale Unterstützung zu suchen. Diese

Unterstützung kann aus verschiedenen Quellen kommen, darunter Familie, Freunde, Gesundheitsdienstleister und Peer-Support-Organisationen. Ein solides Unterstützungsnetzwerk kann Männern helfen, mit ihrer Diagnose und ihrem Weg fertig zu werden.

1. Familie und Freunde:

In dieser herausfordernden Zeit können geliebte Menschen unschätzbare emotionale Unterstützung bieten. Familie und Freunde können Männern oft helfen, mit den emotionalen Herausforderungen einer Krebserkrankung fertig zu werden, indem sie zuhören, eine beruhigende Präsenz bieten oder bei den täglichen Aufgaben helfen. Männer müssen ihren Lieben ihre Wünsche und Gefühle erklären, damit sie die bestmögliche Unterstützung leisten können.

2. Professionelle Beratung:

Ein Gespräch mit einem Psychologen kann

Geben Sie einigen Männern wertvolle Einblicke und Bewältigungsfähigkeiten. Berater, Psychologen oder Therapeuten, die sich auf den Umgang mit krebsbedingten Schwierigkeiten spezialisiert haben, können Männern dabei helfen, ihre Emotionen zu verarbeiten, Ängste zu bewältigen und die psychischen Hindernisse zu überwinden, die mit einer Prostatakrebsdiagnose einhergehen. Die Therapie bietet ein sicheres Umfeld, um unangenehme Gefühle zu

untersuchen und Fähigkeiten zum Stressabbau und zur emotionalen Resilienz zu erlernen.

3. Selbsthilfegruppen:

Peer-Support-Gruppen bringen Männer zusammen, die ähnliche Umstände durchgemacht haben, und vermitteln ein Gefühl der Kameradschaft und des Verständnisses. Diese Gruppen bieten emotionale Unterstützung, praktische Ratschläge und Ermutigung. Selbsthilfegruppen, ob persönlich oder online, bieten Männern ein Forum, um ihren Ängsten Luft zu machen, ihre Erinnerungen auszutauschen und Rat von anderen zu suchen, die Ähnliches durchgemacht haben

erlebnisse. Die Verbindung zu anderen, die mit ähnlichen Problemen konfrontiert sind, kann stärkend sein und das Gefühl der Isolation lindern.

Umgang mit Stress und Angst

Die Diagnose Prostatakrebs führt in der Regel zu vermehrten Sorgen und Ängsten. Der Umgang mit diesen Emotionen ist unerlässlich, um das geistige und emotionale Wohlbefinden während der Behandlung zu erhalten.

Stressbewältigungsansätze können Männern helfen, die Kontrolle über ihre emotionalen Reaktionen zu erlangen und die Gesamtbelastung durch die Erkrankung zu senken.

1. Achtsamkeit und Meditation:

Achtsamkeit kann Männern helfen, präsent zu bleiben und Ängste zu minimieren, indem sie sich auf den gegenwärtigen Moment und nicht auf die Zukunft konzentrieren. Tiefe Atemübungen, Meditation und geführte Visualisierung sind alles Techniken, die dir helfen können, dich zu entspannen und inneren Frieden zu finden. Achtsamkeit kann jederzeit praktiziert werden, und

Es kann Männern helfen, ihre emotionalen Reaktionen in Stresssituationen wie Arztterminen oder Behandlungssitzungen zu kontrollieren.

2. Körperliche Aktivitäten:

Es hat sich gezeigt, dass Bewegung Stress abbaut und die

Stimmung und die allgemeine Gesundheit verbessert. Selbst leichte körperliche Aktivität wie Gehen, Yoga oder Dehnen kann Männern helfen, mit Angstzuständen umzugehen und ihre psychische Gesundheit zu verbessern. Endorphine, die natürlichen "Wohlfühlhormone" des Körpers, werden bei

regelmäßiger Bewegung freigesetzt und können für eine Pause von psychischem Stress sorgen. Darüber hinaus kann körperliche Aktivität während der Krebstherapie die körperliche und emotionale Gesundheit verbessern.

3. Entspannungstechniken:

Wenn Sie Entspannungstechniken in Ihre Routine integrieren, können Sie stressbedingte körperliche Symptome wie Muskelverspannungen und Erschöpfung minimieren.

Progressive Muskelentspannungstechniken, bei denen verschiedene Muskelgruppen angespannt und dann entspannt werden, können helfen, die Entspannung zu fördern und emotionalen Stress zu verringern. Beruhigende Musik zu hören, warme Bäder zu nehmen oder sich angenehmen und entspannenden Hobbys hinzugeben, kann emotionalen Trost bieten.

Umgang mit Depressionen

Männer entwickeln häufig Depressionen, nachdem sie die Diagnose Prostatakrebs erhalten haben. Dies könnte mit der emotionalen Belastung durch den Umgang mit einer schweren Krankheit, Veränderungen des Körperbildes oder

der sexuellen Funktion oder unerwünschten Auswirkungen von Medikamenten zusammenhängen. Depressionen können Gefühle der Hoffnungslosigkeit, Melancholie, Verlust des Interesses an typischen Aktivitäten und Schlafstörungen verursachen. Unbehandelt kann eine Depression die Fähigkeit eines Mannes beeinträchtigen, mit der Behandlung fertig zu werden und sich zu erholen.

Es ist entscheidend, Depressionssymptome zu erkennen und so schnell wie möglich Hilfe zu erhalten. Depressionen können mit Beratung, Medikamenten oder einer Kombination aus beidem behandelt werden

von beiden. Männer sollten keine Angst haben, mit ihrem Arzt zu kommunizieren, wenn sie glauben, depressiv zu sein, da die psychische Gesundheit ein wesentliches Element der Krebsbehandlung ist.

Einen positiven Ausblick schaffen

Während Prostatakrebs schwierig sein kann, stellen viele Männer fest, dass eine positive Einstellung ihnen hilft, besser damit umzugehen. Dies bedeutet nicht, die Schwere des Problems zu verharmlosen, sondern stattdessen die Hoffnung, die kleinen Triumphe und die während der Behandlung erzielten Fortschritte zu betonen.

1. Kleine und erreichbare Ziele setzen:

Die Konzentration auf winzige, tägliche Ziele kann Männern helfen, sich während der Therapie erfolgreicher und unter Kontrolle zu fühlen. Egal, ob Sie spazieren gehen, ein gesundes Abendessen zubereiten oder Zeit mit Ihren Lieben verbringen, diese bescheidenen Aufgaben schaffen ein Gefühl der Sinnhaftigkeit und helfen, den Schwerpunkt von Angst und Angst zu verlagern.

2. Informiert bleiben:

Sich über Prostatakrebs, Behandlungsmöglichkeiten und was zu erwarten ist, zu informieren, kann helfen, die Angst vor dem Unbekannten zu lindern. Männer, die informiert und in ihre Behandlungsentscheidungen einbezogen werden, berichten, dass sie sich weniger ängstlich fühlen und mehr Kontrolle über ihre Gesundheit haben.

3. Förderung von Dankbarkeit und Resilienz:

Dankbarkeit zu üben und sich auf die positiven Elemente des Lebens zu konzentrieren, kann Ihnen helfen, emotionale Widerstandsfähigkeit zu entwickeln. Viele Männer finden, dass das Üben von Dankbarkeit, besonders inmitten von Widrigkeiten, ihnen hilft, geerdet und hoffnungsvoll zu

bleiben. Das Nachdenken über Momente der Dankbarkeit, die Verbindung zu geliebten Menschen und das Akzeptieren positiver Ereignisse tragen dazu bei, emotionale Stärke aufzubauen.

Die Diagnose Prostatakrebs ist ein lebensveränderndes Ereignis, und der Umgang mit den emotionalen und psychischen Komponenten der Krankheit ist ebenso wichtig wie

Behandlung der körperlichen Symptome. Die Suche nach emotionaler Unterstützung von geliebten Menschen, Beratern und Gleichaltrigen, die Kontrolle von Stress und das Bewahren positiver Werte können Männern die Werkzeuge an die Hand geben, um die bevorstehenden Herausforderungen zu meistern. Männer, die ihr emotionales Wohlbefinden in den Vordergrund stellen, können sich mit der Stärke und Widerstandsfähigkeit ausstatten, die sie benötigen, um

Prostatakrebs zu bekämpfen.

ENTWICKLUNG VON STÄRKE DURCH COMMUNITY- UND SUPPORT-NETZWERKE

Die Diagnose Prostatakrebs ist eine komplexe und einsame

Erfahrung. Bei vielen Männern verursacht es nicht nur körperliche Beschwerden, sondern auch emotionale, mentale und soziale Belastungen. Um in dieser herausfordernden Zeit Stärke aufzubauen, braucht es mehr als nur die Konzentration auf medizinische Behandlungen. Sich mit anderen zu verbinden, Hilfe zu suchen und gemeinschaftliche Beziehungen aufzubauen, kann Männern helfen, mit dem Emotionalen umzugehen

Tribut von Krebs. Unterstützungsnetzwerke, ob sie aus Familie, Freunden oder Kollegen bestehen, bieten Trost und Verständnis und ermöglichen es den Patienten, während ihrer gesamten Behandlung und Genesung widerstandsfähig zu bleiben.

Die Bedeutung von Unterstützungsnetzwerken

Wenn sie mit einer Diagnose wie Prostatakrebs konfrontiert werden, fühlen sich viele Männer zunächst gezwungen, den Kampf alleine zu führen. Manche Menschen zögern möglicherweise, Hilfe zu suchen, weil sie andere nicht belasten wollen oder sich unwohl dabei fühlen, über ihre Gefühle zu sprechen. Forschung und klinische Erfahrung zeigen jedoch, dass Männer, die aktiv an einem Unterstützungssystem teilnehmen, während der Behandlung

emotional und mental bessere Leistungen erbringen. Unterstützungsnetzwerke spielen eine wesentliche Rolle, wenn es darum geht, Männern zu helfen, ein Gefühl von Gleichgewicht und Stärke zu bewahren, sei es durch emotionale Ermutigung, praktische Hilfe oder einfach nur durch ein offenes Ohr.

1. Emotionale Unterstützung durch geliebte Menschen:

Ein starkes Unterstützungsnetzwerk wird in der Regel um Familie und Freunde herum aufgebaut. Angehörige bieten emotionale Unterstützung und praktische Hilfe, z. B. indem sie Männern bei den täglichen Aufgaben helfen oder sie zu Terminen begleiten. Sie können auch ein sicheres Umfeld bieten, in dem Ängste, Beschwerden oder Bedenken geäußert werden können, um die emotionale Belastung zu lindern.

Familienmitglieder und enge Freunde können in schwierigen Zeiten die dringend benötigte Unterstützung und Ermutigung bieten, so dass sich die Reise weniger einsam anfühlt.

In Zeiten der Krankheit sollten Männer offen mit ihren Lieben sprechen und über ihre Wünsche und Gefühle sprechen. Offen darüber zu sprechen, dass man Hilfe braucht, kann die Bindung stärken, und geliebte Menschen wollen oft da sein, um zu helfen, auch wenn sie nicht immer wissen, wie. Die Schaffung eines Umfelds der offenen Kommunikation

ermöglicht es sowohl Männern als auch ihren Familien, die Diagnose gemeinsam zu erforschen und die emotionale Bindung aufzubauen, die während der Krebsreise Trost spenden kann.

2. Peer-Support: Treffen Sie andere auf der gleichen Reise

Während Familie und Freunde wichtige Quellen der Unterstützung sind, kann die Verbindung zu Menschen, die ähnliche Umstände durchmachen, eine einzigartige Perspektive bringen. Peer-Support-Gruppen ermöglichen es Männern, ihre Geschichten zu teilen, Behandlungsmöglichkeiten zu diskutieren und mit anderen zu interagieren, die die Härten des Lebens mit Prostatakrebs verstehen. Diese Gruppen sind persönlich in lokalen Krebszentren und online verfügbar, so dass sie unabhängig vom Standort zugänglich sind.

Selbsthilfegruppen ermöglichen es Männern, ihre Sorgen auszudrücken, ohne befürchten zu müssen, beurteilt zu werden. Die Teilnehmer dieser Gruppen teilen oft ihre Emotionen, sprechen über ihre Behandlungserfahrungen und geben Ratschläge zum Umgang mit Nebenwirkungen. Das gemeinsame Verständnis, eine vergleichbare Herausforderung zu ertragen, fördert Gemeinschaft und Zugehörigkeit. Viele Menschen finden es ermutigend, Geschichten über Widerstandsfähigkeit und Überleben von anderen zu hören, die ähnliche Schwierigkeiten erlebt haben.

3. Online-Support-Gemeinschaften:

Das Internet hat die Art und Weise, wie Betroffene Hilfe erhalten können, verändert. Online-Foren, Social-Media-Gruppen und virtuelle Zusammenkünfte ermöglichen es Männern, mit einem größeren Netzwerk von Menschen zu interagieren, die an Prostatakrebs leiden. Diese Online-Plattformen kommen Menschen zugute, die keinen Zugang zu persönlichen Selbsthilfegruppen haben oder es vorziehen, ihre

Erfahrungen anonym zu teilen.

Online-Communities bieten sofortigen Zugang zu einer Fülle von Informationen und emotionaler Unterstützung. Männer können ihre Gedanken und Sorgen teilen, sich von anderen beraten lassen und Trost darin finden, dass sie auf ihrem Weg nicht allein sind. Diese Plattformen ermöglichen es Männern auch, mit Menschen aus der ganzen Welt in Kontakt zu treten, und bieten ein vielfältigeres Spektrum an Sichtweisen auf das Leben mit Prostatakrebs. Teil einer Online-Community zu sein, kann Trost und Vertrauen geben, dass andere verstehen, was sie durchmachen, unabhängig davon, wie weit sie geografisch voneinander entfernt sind.

Die Rolle der professionellen Unterstützung

Neben der Unterstützung durch Gleichaltrige und die Gemeinschaft ist die Suche nach professioneller Hilfe ein wichtiger Bestandteil, um nach einer Prostatakrebsdiagnose wieder Kraft zu gewinnen. Spezialisten für emotionale Gesundheit, wie Therapeuten und Berater, können Männern wichtige Werkzeuge an die Hand geben, um ihre Gefühle zu verarbeiten und die komplexen emotionalen Hindernisse zu überwinden, die die Krebsbehandlung häufig mit sich bringt.

In seltenen Fällen kann die Therapie den Patienten auch dabei helfen, ihre Wünsche und Sorgen besser an ihre Angehörigen und Angehörigen zu kommunizieren.

1. Therapie und Beratung:

Das Gespräch mit einem Therapeuten kann es Männern ermöglichen, ihre Gedanken in einer sicheren und unvoreingenommenen Umgebung auszudrücken. Eine Therapie kann Menschen helfen, ihre Sorgen, Bedenken und emotionalen Beschwerden zu verarbeiten und Methoden zur Stressbewältigung bereitzustellen. Zum Beispiel kann die kognitive Verhaltenstherapie (KVT) Männern beibringen, wie sie negative Ideen neu formulieren und sich auf Lösungen konzentrieren können, so dass sie während der Behandlung optimistisch bleiben.

Die Einzeltherapie ist für manche Menschen ideal, da sie persönliche Aufmerksamkeit und Unterstützung bietet. Andere finden vielleicht, dass die Gruppentherapie, in der Männer von ihren Erfahrungen in einer kleinen, freundlichen Umgebung berichten, eine zusätzliche Ebene des Trostes bietet. Beide Alternativen können sehr vorteilhaft sein und Männern die Werkzeuge an die Hand geben, die sie benötigen, um mit den emotionalen Komponenten von Prostatakrebs umzugehen.

2. Hilfe von Gesundheitsdienstleistern erhalten:

Gesundheitsdienstleister sind auch ein wesentlicher Bestandteil des Unterstützungssystems eines Patienten. Onkologen, Urologen, Krankenschwestern und andere Fachärzte können Behandlungsempfehlungen geben und Fragen beantworten. Männer sollten sich frei fühlen, ihre Bedenken gegenüber ihren Ärzten zu äußern, sei es in Bezug auf Behandlungsalternativen, Nebenwirkungen oder emotionale Probleme.

Einige Krebseinrichtungen verfügen über Patientennavigatoren oder onkologische Sozialarbeiter, die

Männern bei der Navigation durch ihre Versorgung helfen. Diese Spezialisten können Männern bei der Planung behilflich sein

Termine, die Verbindung mit finanziellen Mitteln und die emotionale Unterstützung in den vielen Phasen der Behandlung. Der Zugang zu diesem Maß an Unterstützung kann einen erheblichen Unterschied im Umgang mit den Herausforderungen einer Prostatakrebsdiagnose machen.

Die Kraft der Positivität und Hoffnung.

Während der Umgang mit Prostatakrebs zweifellos eine Herausforderung ist, kann eine positive Einstellung Männern die mentale Stärke bieten, die sie benötigen, um die emotionalen Herausforderungen zu meistern. Unterstützungsnetzwerke sind unerlässlich, um Männern Hoffnung und Ermutigung einzuflößen und sie daran zu erinnern, dass sie auf ihrem Weg nicht allein sind.

1. Optimismus fördern:

Sich mit einem positiven Unterstützungsnetzwerk zu umgeben, kann helfen, die Aufmerksamkeit weg von der Angst und hin zur Hoffnung zu lenken. Angehörige, Gleichaltrige und sogar

Medizinisches Personal kann unterstützen, so dass Männer das Licht am Ende des Tunnels sehen können. Positives Feedback von den Menschen um sie herum kann die Entschlossenheit eines Mannes stärken, weiter zu kämpfen, besonders in schwierigen Zeiten in der Therapie.

2. Meilensteine feiern

Selbsthilfegruppen können Männern auch dabei helfen, kleine

Triumphe auf dem Weg zu feiern. Das Feiern von Erfolgen, wie z. B. der Abschluss einer Behandlung, weniger Nebenwirkungen oder der Erhalt körperlicher Stärke, bietet einen Schub an Anreiz. Die Anerkennung von Verbesserungen, egal wie geringfügig sie sind, unterstützt die Vorstellung, dass Krebs nicht das gesamte Leben eines Mannes bestimmt – es gibt immer noch viele Momente der Freude und des Erfolgs, die gefeiert werden können.

3. Einen Sinn für Zweck bewahren:

Die Unterstützung aus der Community hilft Männern, eine

ein Gefühl der Sinnhaftigkeit, indem es sie daran erinnert, dass sie von Gleichaltrigen geschätzt und umsorgt werden. Egal, ob es sich um ein bedeutungsvolles Gespräch, einen

gemeinsamen Zeitvertreib oder einfach nur um das Wissen handelt, dass andere an sie denken, diese Momente der Verbundenheit liefern emotionalen Treibstoff, um weiterzumachen.

Der Aufbau von Stärke durch Community- und Unterstützungsnetzwerke ist eine wirksame Strategie, um die Probleme der Prostatakrebsdiagnose zu lösen. Männer können die emotionale Unterstützung finden, die sie brauchen, um der Zukunft mit Stärke und Hoffnung zu begegnen, sei es aus dem Trost ihrer Lieben, den gemeinsamen Erfahrungen von Gleichaltrigen oder dem Rat von medizinischem Fachpersonal. Ein solides Unterstützungsnetzwerk leistet mehr als nur Unterstützung während der gesamten Behandlung. Es erinnert Männer daran, dass sie nicht allein sind, und gibt ihnen die Kraft, sowohl die geistigen als auch die körperlichen Herausforderungen von Prostatakrebs zu bewältigen.

DIE DIAGNOSE VERSTEHEN

Behandlung und Genesung

Die Diagnose Prostatakrebs kann eine entmutigende

Erfahrung sein, die mit Unsicherheiten und Sorgen über die nächsten Schritte verbunden ist. Das Verständnis von Behandlungsalternativen, das Treffen fundierter Entscheidungen und die Vorbereitung auf die Genesung sind Teil des Prozesses. Männer sollten weiterhin aktiv in ihre Versorgung einbezogen werden und mit Gesundheitsexperten zusammenarbeiten, um einen Behandlungsplan zu entwickeln, der ihren Bedürfnissen entspricht und die körperlichen und emotionalen Elemente der Diagnose berücksichtigt. Auch die Genesung erfordert Planung und Hilfestellung, damit sich Körper und Geist nach der Behandlung erholen können.

Behandlungsalternativen verstehen

Der erste Schritt nach der Diagnose Prostatakrebs besteht darin, mögliche Behandlungsmöglichkeiten zu prüfen.

Die Behandlungsmöglichkeiten werden durch verschiedene Kriterien bestimmt, darunter Krebsstadium, allgemeiner Gesundheitszustand, Alter und persönliche Vorlieben. Einige Männer kommen für eine aktive Überwachung in Frage, während andere eine schnellere oder aggressivere Behandlung benötigen.

1. Aktive Überwachung:

Männer mit langsam wachsendem Prostatakrebs mit geringem Risiko können von einer aktiven Überwachung profitieren. Bei dieser Technik wird der Krebs mit regelmäßigen PSA-Tests, Biopsien und bildgebenden Verfahren genau überwacht, ohne sofort mit der Therapie zu beginnen. Ziel ist es, die Überbehandlung zu minimieren und gleichzeitig das

Wachstum des Krebses genau zu überwachen. Die aktive Überwachung wird häufig gewählt, wenn es unwahrscheinlich ist, dass der Krebs schnell wächst oder sich ausbreitet, und sie ermöglicht es Männern, ihre Lebensqualität zu erhalten und gleichzeitig die Nebenwirkungen der Therapie zu vermeiden.

2. Chirurgie.

Operationen, insbesondere eine Prostatektomie, sind ein beliebtes

Behandlung von Prostatakrebs, vor allem, wenn er in der Prostata lokalisiert ist. Bei einer Prostatektomie wird die Prostata und in einigen Situationen auch das umliegende Gewebe oder die Lymphknoten entfernt. Eine Operation kann heilen, aber je nach Umfang der Behandlung auch zu Gefahren wie Urininkontinenz oder erektiler Dysfunktion führen.

3. Strahlentherapie:

Bei der Strahlentherapie werden hochenergetische Strahlen eingesetzt, um Krebszellen gezielt abzutöten. Es kann äußerlich mittels externer Bestrahlung oder intern über Brachytherapie verabreicht werden, bei der radioaktive Seeds in die Prostata eingebracht werden. Die Bestrahlung wird häufig als primäre

Behandlung oder in Verbindung mit einer Operation eingesetzt. Müdigkeit, Magen-Darm-Probleme und Blasensymptome sind mögliche Nebenwirkungen, die sich jedoch in der Regel nach der Therapie von selbst lösen.

4. Hormontherapie:

Die Hormontherapie senkt den Testosteronspiegel im Körper und verlangsamt das Wachstum von Prostatakrebszellen. Diese Behandlung wird häufig bei Männern mit fortgeschrittenem Prostatakrebs angewendet, entweder allein oder in Verbindung mit einer Bestrahlung. Während eine Hormontherapie von Vorteil sein kann, kann sie auch Lethargie, Hitzewallungen und Libidoverlust hervorrufen, die unter ärztlicher Aufsicht behandelt werden müssen.

5. Chemotherapie und Immuntherapie:

In fortgeschritteneren oder aggressiveren Fällen kann eine Chemotherapie oder Immuntherapie empfohlen werden. Bei der Chemotherapie werden Chemikalien verwendet, um sich schnell teilende Krebszellen abzutöten, während die Immuntherapie das Immunsystem stimuliert, um Krebs besser zu erkennen und anzugreifen. Diese Arzneimittel werden in der Regel eingesetzt, wenn Prostatakrebs außerhalb der Prostata fortgeschritten ist oder eine Resistenz gegen frühere Therapien gezeigt hat.

Fundierte Entscheidungen treffen.

Die Navigation durch die Behandlung erfordert fundierte Entscheidungen über die beste Vorgehensweise. Männer sollten ihre Optionen mit ihrem Arzt besprechen, Fragen stellen und die möglichen Nebenwirkungen und langfristigen Ergebnisse jeder Behandlung berücksichtigen. Bewerten Sie bei der Auswahl eines Behandlungsplans die Lebensqualität, die therapeutische Wirksamkeit und die persönlichen Überzeugungen.

Auch das Einholen einer Zweitmeinung kann den Entscheidungsprozess klären und beruhigen. Viele Männer berichten, dass sie sich durch zusätzliche Informationen stärker und verantwortlich für ihre Behandlungserfahrung fühlen.

Planung der Behandlung und Genesung

Nachdem Sie sich für einen Behandlungsplan entschieden haben, ist es wichtig, sich auf die körperlichen und emotionalen Komponenten der Behandlung vorzubereiten. Männer können

Vorkehrungen treffen, um sicherzustellen, dass sie körperlich auf die Therapie vorbereitet sind und

Was Sie während der Genesung erwartet.

1. Körperliche Bereitschaft:

Die Aufrechterhaltung einer guten körperlichen Gesundheit vor der Behandlung kann die Genesungsaussichten verbessern. Männer können von einer guten Ernährung, häufigem Sport und einer Flüssigkeitszufuhr profitieren. Die Vorbereitung des Körpers auf Operationen, Bestrahlungen oder andere Behandlungen erhöht die Widerstandsfähigkeit und verbessert die postoperative Heilung.

2. Emotionale Bereitschaft:

Der Umgang mit den Emotionen, die mit einer Prostatakrebsdiagnose einhergehen, ist genauso wichtig wie der Umgang mit der körperlichen Gesundheit. Männer sollten emotionale Unterstützung von Angehörigen, Gleichaltrigen oder Spezialisten für psychische Gesundheit suchen, um

ihnen bei der Bewältigung von Gefühlen der Angst, Unruhe oder Unsicherheit zu helfen. Offen über Themen zu sprechen und mental für die Zukunft zu planen, kann helfen, Stress zu minimieren und das emotionale Wohlbefinden zu steigern.

3. Genesung nach der Behandlung:

Der Genesungsprozess jedes Einzelnen variiert je nach Behandlung. Männer, die sich einer Operation unterziehen, benötigen möglicherweise viele Wochen der Genesung, in denen Ruhe und sorgfältige Wundversorgung von entscheidender Bedeutung sind. Bei Patienten, die eine Bestrahlung oder Chemotherapie erhalten, können Müdigkeit, Übelkeit oder andere Nebenwirkungen auftreten, die mit Medikamenten oder Änderungen des Lebensstils behandelt werden müssen.

Rehabilitation, wie z. B. Beckenbodenübungen zur Wiederherstellung der durch die Operation beeinträchtigten Muskeln, kann den Patienten helfen, die Kontrolle über die Blase und die sexuelle Funktion wiederherzustellen. Es ist wichtig, während des Heilungsprozesses den Rat von Gesundheitsspezialisten zu befolgen und geduldig zu sein, da es einige Zeit dauern kann, bis einige Nebenwirkungen abgeklungen sind.

Umgang mit Nebenwirkungen

Jede Behandlung hat potenzielle Nebenwirkungen, die sich je nach Art der verwendeten Therapie unterscheiden. Männer sollten darauf vorbereitet sein und mit ihren

Gesundheitsdienstleister, um sie richtig zu verwalten. Medikamente, Physiotherapie oder Beratung können sowohl bei körperlichen als auch bei psychischen Nebenwirkungen helfen, was zu einer schnelleren Genesung führt.

Männer, die beispielsweise eine Hormontherapie erhalten, können an Gewicht zunehmen oder Stimmungsschwankungen entwickeln, so dass es hilfreich sein kann, Wege zu finden, um körperliche Bewegung und geistiges Gleichgewicht zu erhalten. In ähnlicher Weise müssen Patienten, die nach einer Operation an Harninkontinenz leiden, möglicherweise Beckenbodenübungen oder andere Therapien in Betracht ziehen, um die Kontrolle wiederzuerlangen.

Entwicklung eines Unterstützungssystems

Ein solides Unterstützungssystem ist während der Behandlung und Genesung von großem Vorteil. Sich mit positiver Unterstützung zu umgeben, sei es von Familie,

Freunden oder einem Netzwerk von Gleichaltrigen, die

ähnliche Situationen durchgemacht haben, kann helfen, den Prozess erträglicher zu machen. Angehörige können sowohl bei praktischen

Bedürfnisse, wie z. B. der Transport zu Arztbesuchen und emotionale Unterstützung, die in schwierigen Zeiten Mut macht.

Für viele Männer bieten Peer-Support-Gruppen die Möglichkeit, ihre Erfahrungen auszutauschen, von anderen zu lernen und hilfreiche Ratschläge zum Umgang mit Prostatakrebs zu erhalten. Sich mit anderen zu verbinden, die die besonderen Herausforderungen der Reise verstehen, kann dazu beitragen, das Gefühl der Einsamkeit zu verringern und ein Gefühl der Zugehörigkeit zu entwickeln.

Die Bewältigung einer Prostatakrebsdiagnose erfordert eine sorgfältige Planung, eine fundierte Entscheidungsfindung und einen Fokus auf Behandlung und Genesung. Männer können sich ihrer Diagnose selbstbewusst nähern, indem sie sich über die vielen Behandlungsmöglichkeiten informieren, mögliche Nebenwirkungen planen und ein solides Unterstützungsnetzwerk aufbauen.

WIE ANGEHÖRIGE UND BETREUER BEI DER BEHANDLUNG VON PROSTATAKREBS HELFEN KÖNNEN

Wenn bei einem Mann Prostatakrebs diagnostiziert wird, geht seine Reise häufig über ihn selbst hinaus und umfasst auch seine Familie, enge Freunde und Betreuer. Familienmitglieder und Betreuer spielen eine wesentliche Rolle bei der Behandlung von Prostatakrebs. Sie bieten emotionale Unterstützung und helfen den Patienten bei praktischen Aufgaben, indem sie sie durch die Feinheiten der Behandlung und Genesung führen. Dieses Kapitel befasst sich mit der entscheidenden Rolle von Familie und Betreuern bei der Behandlung von Prostatakrebs und betont den Wert von Kommunikation, emotionaler Unterstützung und kollaborativer Entscheidungsfindung.

Emotionale Unterstützung: Eine Säule der Stärke

Einer der wichtigsten Beiträge, die Angehörige und Betreuer leisten, ist die emotionale Unterstützung. Die Diagnose Prostatakrebs kann eine Vielzahl von Gefühlen hervorrufen,

Einschließlich Angst, Wut und Sorge um die Zukunft. Diese

Gefühle sind nicht auf den Patienten beschränkt; Familienmitglieder teilen sich häufig die emotionale Last. Ihre Fähigkeit, in schwierigen Momenten Trost und Sicherheit zu spenden, hilft dem Patienten jedoch, mit dem Stress der Diagnose umzugehen.

Betreuer sind oft die ersten, die ein offenes Ohr haben und es Männern ermöglichen, ihre Sorgen und Frustrationen ohne Urteil zu teilen. Eine mitfühlende Präsenz anzubieten kann helfen, Gefühle von Einsamkeit und Angst zu verringern. Allein die Anwesenheit – körperlich oder emotional – kann einen erheblichen Einfluss auf das geistige und emotionale Wohlbefinden des Patienten haben.

Das Pflegepersonal spielt auch eine wesentliche Rolle, wenn es darum geht, den Patienten zu helfen, eine gute Einstellung zu bewahren, indem sie sie ermutigen, sich auf ihre Stärken und Fortschritte zu konzentrieren. Sie bieten die emotionale Grundlage, die die Rehabilitation fördert, indem sie Worte ermutigen, kleine Erfolge feiern oder einfach dabei helfen, Momente der Normalität im täglichen Leben zu schaffen.

Praktische Hilfe: Deckung des täglichen Bedarfs und medizinische Versorgung

Neben der emotionalen Unterstützung bieten

Familienmitglieder und Betreuer wichtige praktische Hilfe.

Die Behandlung von Prostatakrebs erfordert manchmal, zahlreiche Arzttermine wahrzunehmen, Behandlungen durchzuführen und eine Vielzahl von medizinischen Empfehlungen zu befolgen. Pflegekräfte können bei der Terminplanung, der Einhaltung von Medikamenten und dem Transport zu und von Behandlungseinrichtungen helfen.

Bei Männern, die sich einer Operation oder strengeren Behandlungen wie Bestrahlung oder Chemotherapie unterziehen, können körperliche Nebenwirkungen wie Erschöpfung, Übelkeit oder Schwäche auftreten, die es schwierig machen, tägliche Aufgaben alleine zu erledigen. Die Pflegekräfte helfen bei der Zubereitung von Mahlzeiten, bei der Hausarbeit und bei der Körperpflege, so dass sich der Patient auf Ruhe und Heilung konzentrieren kann. Diese Beiträge verringern den Stress und die körperliche Belastung des Patienten, was zu einer schnelleren Heilung und einer reibungsloseren Genesung führt.

Pflegekräfte fungieren häufig als Anwälte bei Arztterminen. Sie können relevante Fragen stellen, Behandlungsalternativen klären und sich Notizen machen, um den Patienten auf dem Laufenden zu halten. Diese Interessenvertretung stellt sicher, dass die Bedürfnisse der Patienten erfüllt werden und sie die bestmögliche Versorgung erhalten.

Gemeinsame Entscheidungsfindung: Gemeinsam durch die Behandlungsoptionen navigieren

Die Behandlungsmöglichkeiten für Prostatakrebs variieren stark je nach Stadium der Erkrankung, dem allgemeinen Gesundheitszustand des Patienten und den persönlichen Vorlieben. Diese Auswahl kann einschüchternd sein, vor allem, wenn es viele Optionen gibt, jede mit Risiken und Belohnungen. Angehörige und Betreuer beteiligen sich häufig an diesen Diskussionen und helfen dem Patienten, die Vor- und Nachteile jeder Behandlungsoption abzuwägen.

Gemeinsame Entscheidungsfindung erfordert eine offene Kommunikation zwischen Patienten, Pflegekräften und dem Gesundheitswesen

praktiker. Angehörige können dem Patienten helfen, seine Sorgen und Wünsche auszudrücken und sicherzustellen, dass seine Entscheidungen mit seinen Überzeugungen und Zielen übereinstimmen. Das Pflegepersonal kann auch helfen, Missverständnisse zu klären und den Patienten bei der Navigation durch komplexe medizinische Informationen zu unterstützen.

Dieser kollaborative Ansatz entwickelt ein Gefühl der Zusammenarbeit während des gesamten Behandlungsprozesses, das es dem Patienten und seinen

Betreuern ermöglicht, sich aktiv am Krankheitsmanagement zu beteiligen. Es hilft auch, Vertrauen zu schaffen, weil der Patient erkennt, dass er die Reise nicht alleine geht, sondern mit der Hilfe anderer, die sich wirklich um sein Wohlbefinden kümmern.

Umgang mit Stress für Pflegekräfte.

Pflegekräfte spielen eine wesentliche Rolle bei der Unterstützung des Patienten, müssen aber auch daran denken, für sich selbst zu sorgen. Die Pflegepflichten können körperlich und emotional anstrengend sein, besonders wenn sie kombiniert werden

mit anderen Verpflichtungen wie Arbeit, Familie oder persönlichen Verpflichtungen. Stress für Pflegekräfte ist weit verbreitet, und Pflegekräfte müssen erkennen, wann sie Hilfe benötigen.

Pflegende Angehörige sollten Pausen einlegen, Hilfe von Freunden oder professionellen Therapeuten suchen und sich an Selbstfürsorgeaktivitäten beteiligen, um das Wohlbefinden zu fördern. Der Beitritt zu einer Selbsthilfegruppe für Betreuer kann auch eine hilfreiche Möglichkeit sein, Erfahrungen auszutauschen und Ratschläge von anderen in ähnlichen Situationen zu erhalten.

Das Erkennen des Wertes der Selbstfürsorge ermöglicht es den Pflegekräften, neue Energie zu tanken und ihren Angehörigen weiterhin eine hervorragende Pflege zu bieten. Es hilft auch, Burnout zu vermeiden, das sowohl der Pflegekraft als auch dem Patienten schaden kann.

Schaffung eines unterstützenden Umfelds

Ein solides Unterstützungssystem hilft allen, die an der Behandlung von Prostatakrebs beteiligt sind. Familie, Freunde und Betreuer können zusammenarbeiten, um ein Umfeld zu fördern

wo sich der Patient unterstützt und verstanden fühlt. Ein florierendes Unterstützungsnetzwerk erfordert eine offene Kommunikation, den Ausdruck der Wertschätzung für die Bemühungen des anderen und die Schaffung eines angenehmen Umfelds.

Betreuer können auch die Hilfe anderer Familienmitglieder und Freunde in Anspruch nehmen, sei es bei der Planung eines Essensplans, bei der Organisation des Transports oder einfach nur beim Anbieten von ein paar Stunden Gespräch. Diese gemeinsame Verantwortung verhindert, dass eine Person überfordert wird, und stellt sicher, dass die Bedürfnisse des Patienten von allen Seiten abgedeckt werden.

Familienmitglieder und Betreuer spielen eine wesentliche Rolle bei der Behandlung von Prostatakrebs, indem sie während des gesamten Prozesses emotionale, praktische und Entscheidungsunterstützung bieten. Ihre Anwesenheit hilft dem Patienten, mit Behandlungsproblemen fertig zu werden, und stellt sicher, dass er mit den Feinheiten der Krankheit nicht allein ist. Patienten und Betreuer können ein Umfeld schaffen, das Stärke, Widerstandsfähigkeit und Hoffnung unterstützt und ihnen hilft

um mit Prostatakrebs souverän umzugehen.

KAPITEL 8: FORTGESCHRITTENE THEMEN DER PROSTATAGESUNDHEIT

ZUKÜNFTIGE TRENDS IN DER PROSTATAGESUNDHEITSFORSCHUNG

Mit der Entwicklung von Wissenschaft und Medizin verändert sich die Landschaft der Prostatagesundheit erheblich. Forscher sind ständig auf der Suche nach neuartigen Medikamenten, Technologien und Methoden, um die Diagnose, Behandlung und Prävention von Prostataerkrankungen, insbesondere Prostatakrebs, zu verbessern. Zukünftige Trends in der Prostatagesundheitsforschung werden sich auf individualisierte Therapien, Früherkennungsinstrumente, innovative Medikamente und ein besseres Verständnis der Biologie der Krankheit konzentrieren. Diese Entwicklungen haben das Potenzial, die Art und Weise, wie Prostataerkrankungen behandelt werden, drastisch zu verändern,

Männer auf der ganzen Welt mit wirksameren und weniger invasiven Mitteln.

Personalisierte Medizin: Maßgeschneiderte Behandlung für den einzelnen Patienten

Einer der spannendsten Trends in der Prostatagesundheitsforschung ist die Umstellung auf individualisierte Medikation. Diese Strategie basiert auf der Anpassung medizinischer Behandlungen an die einzigartige genetische Zusammensetzung und die Merkmale jedes Patienten. Im Zusammenhang mit Prostatakrebs bezieht sich die maßgeschneiderte Medizin auf Behandlungsansätze, die auf die spezifischen Risikofaktoren, die Tumorgenetik und das allgemeine Gesundheitsprofil eines Mannes zugeschnitten sind.

Gentests und Biomarker-Analysen werden in der maßgeschneiderten Medizin immer häufiger. Ärzte können die wirksamste Therapie für einen bestimmten Patienten herausfinden, indem sie sich bestimmte genetische Veränderungen oder molekulare Marker ansehen, die mit Prostatakrebs in Verbindung stehen. Zum Beispiel können

Männer mit Mutationen in der

BRCA1- oder BRCA2-Gene können von maßgeschneiderten Medikamenten wie PARP-Inhibitoren profitieren, die genau auf diese genetischen Aberrationen abzielen. Diese maßgeschneiderte Strategie kann die Behandlungsergebnisse verbessern und gleichzeitig unnötige Nebenwirkungen von Behandlungen reduzieren, die für manche Menschen möglicherweise nicht vorteilhaft sind.

Mit dem Fortschreiten der Genforschung werden wahrscheinlich neue Biomarker entdeckt, die präzisere Diagnose- und Behandlungsmöglichkeiten ermöglichen. Die Fähigkeit, Medikamente auf der Grundlage des genetischen Profils eines Patienten maßzuschneidern, stellt einen bedeutenden Fortschritt in der Behandlung von Prostatakrebs dar.

Entwicklungen in der Früherkennung: Flüssigbiopsien und Bildgebung

Die Früherkennung von Prostatakrebs ist für eine erfolgreiche Behandlung unerlässlich, und Forscher arbeiten daran, weniger invasive und genauere Diagnosen zu entwickeln

Techniken. Eine der faszinierendsten Entdeckungen auf diesem Gebiet ist die Verwendung von Flüssigbiopsien, einem nicht-invasiven Ansatz zur Krebserkennung mit einem

einfachen Bluttest. Flüssigbiopsien beurteilen zirkulierende Tumor-DNA (ctDNA) oder andere krebsbezogene Indikatoren im Blut und geben Aufschluss über das Vorhandensein und den Verlauf von Krebs, ohne dass Gewebeproben benötigt werden.

Flüssigbiopsien bieten verschiedene Vorteile gegenüber herkömmlichen Biopsien. Sie sind weniger aufdringlich, bergen weniger Gefahren und können regelmäßiger durchgeführt werden, um zu verfolgen, wie der Krebs eines Patienten auf die Behandlung anspricht. In Zukunft könnten Flüssigbiopsien zu einem Standardaspekt der Prostatakrebsvorsorge und -überwachung werden, um eine frühere Identifizierung und individuellere Behandlungsschemata zu ermöglichen.

Neben den Flüssigbiopsien werden auch die bildgebenden Verfahren ständig verbessert. **Die multiparametrische MRT** wird bereits eingesetzt, um umfassendere Bilder der Prostata zu erstellen, die es ermöglichen,

Ärzte, um Problembereiche mit höherer Genauigkeit zu lokalisieren. Neue bildgebende Verfahren wie **PSMA-PET-Scans** (Prostate-Specific Membrane Antigen) verbessern die Fähigkeit, Prostatakrebs zu erkennen und zu diagnostizieren. Diese ausgeklügelten bildgebenden Verfahren ermöglichen

präzisere Biopsien und Therapien und senken so das Risiko, aggressive Krebsarten zu übersehen oder indolente Typen zu überbehandeln.

Immuntherapie: Das Immunsystem zur Behandlung von Krebs nutzen

Die Immuntherapie entwickelt sich zu einer wirksamen Strategie im Kampf gegen Prostatakrebs. Im Gegensatz zu herkömmlichen Behandlungen, die auf Krebszellen abzielen, stimuliert die Immuntherapie das Immunsystem, Krebs zu erkennen und abzutöten. **Checkpoint-Inhibitoren,** die Proteine blockieren, die Krebszellen verwenden, um das Immunsystem zu umgehen, haben sich bei mehreren Tumoren als vielversprechend erwiesen, und Forscher untersuchen nun ihre Anwendung bei der Behandlung von Prostatakrebs.

Zum Beispiel wird das von der FDA zugelassene

Immuntherapeutikum **Sipuleucel-T (Provenge)** zur Behandlung von metastasierendem Prostatakrebs eingesetzt, indem die Immunzellen eines Patienten darauf vorbereitet werden, Krebszellen anzugreifen. Während sich die Immuntherapie bei Prostatakrebs im Vergleich zu anderen bösartigen Erkrankungen noch in einem frühen Stadium

befindet, zeigt die kontinuierliche Forschung neue Ansätze auf, um die Immunantwort zu verstärken und die Wirksamkeit dieser Therapien zu verbessern.

Die Forscher beschäftigen sich auch mit Kombinationstherapien, bei denen die Immuntherapie mit herkömmlichen Behandlungen wie Bestrahlung oder Hormontherapie kombiniert wird. Die Kombination dieser Methoden zielt darauf ab, das Immunsystem zu stärken und die Ergebnisse für Männer mit fortgeschrittenem oder resistentem Prostatakrebs zu verbessern.

Präzise Strahlentherapie

Die Strahlentherapie ist seit langem ein wichtiger Bestandteil der Behandlung von Prostatakrebs, aber die Entwicklungen in der

Präzisionsbestrahlungstechniken machen sie sicherer und effektiver. Bei der **stereotaktischen Körperbestrahlung (SBRT)** werden hochkonzentrierte Strahlendosen an die Prostata abgegeben und gleichzeitig die Schädigung des umliegenden gesunden Gewebes begrenzt. Diese Präzision ermöglicht kürzere Behandlungsintervalle und senkt die Wahrscheinlichkeit von Komplikationen wie Harnwegs- und Magen-Darm-Beschwerden.

Neben SBRT untersuchen Forscher neuartige Ansätze zur Verbesserung der Wirksamkeit der Strahlentherapie. Ein Ansatz besteht darin, mit Hilfe von Biomarkern zu bestimmen, welche Tumore am ehesten auf Strahlung ansprechen. Die Kombination von Bestrahlung mit zielgerichteten Medikamenten wie der Immuntherapie kann es Ärzten ermöglichen, die Ergebnisse für Patienten noch weiter zu verbessern.

Die Auswirkungen von Künstlicher Intelligenz (KI) auf die Gesundheit der Prostata

Künstliche Intelligenz kann viele Menschen verändern

Aspekte der Gesundheitsversorgung, einschließlich der

Diagnose und Behandlung von Prostatakrebs. KI-Systeme können große Datenmengen wie medizinische Bildgebung, genetische Informationen und Patientengeschichten untersuchen, um Trends aufzudecken, die menschliche Ärzte möglicherweise übersehen. In der Prostatagesundheit wird künstliche Intelligenz eingesetzt, um die Genauigkeit der Prostatakrebsdiagnose zu erhöhen, indem MRT-Scans und Biopsieergebnisse genauer ausgewertet werden.

Das Potenzial von Künstlicher Intelligenz erstreckt sich auch

auf die Behandlungsplanung. Modelle des maschinellen Lernens können vorhersehen, wie ein Patient auf verschiedene Therapien ansprechen wird, so dass Ärzte die wirksamste Behandlung für jede Person auswählen können. KI-gestützte Systeme können dabei helfen, Patienten während und nach der Behandlung zu überwachen und Ärzte auf Veränderungen im Krebsverlauf aufmerksam zu machen, die ein Eingreifen erforderlich machen.

Mit dem Fortschritt der KI-Technologie wird erwartet, dass sie für die Behandlung von Prostatakrebs unerlässlich wird und die Genauigkeit, Effizienz und Ergebnisse verbessert.

Die Zukunft der Prostatagesundheitsforschung steckt voller

spannender Entwicklungen, die darauf abzielen, die Erkennung, Behandlung und Ergebnisse für Männer mit Prostatakrebs zu verbessern. Personalisierte Medizin, Flüssigbiopsien, Präzisionsstrahlentherapie, Immuntherapie und künstliche Intelligenz stehen an der Spitze dieser Fortschritte. Diese Trends haben das Potenzial, die Behandlung von Prostatakrebs effektiver, weniger invasiv und individueller auf die individuellen Bedürfnisse zugeschnitten zu machen, was Hoffnung auf eine bessere Behandlung dieser häufigen Krankheit weckt.

PERSONALISIERTE LÖSUNGEN FÜR DIE PROSTATAGESUNDHEIT

Der Fortschritt der Medizin hat zunehmend individualisierte Ansätze in der Gesundheitsversorgung in den Vordergrund gerückt, und die Gesundheit der Prostata ist da keine Ausnahme. Personalisierte Lösungen für die Prostatagesundheit werden entwickelt

die medizinische Versorgung auf die individuellen Eigenschaften jedes Einzelnen abzustimmen. Diese Methode berücksichtigt erbliche Merkmale, Lebensstil, persönliche Gesundheitsgeschichte und Umwelteinflüsse, was zu präziseren und effektiveren Behandlungen und vorbeugenden Maßnahmen führt. Ziel ist es, weg von der Einheitslösung und hin zu personalisierten Techniken, die bessere Ergebnisse und weniger Nebenwirkungen für Männer mit Prostataproblemen bieten.

Gentests und personalisierte Betreuung

Die Genetik ist ein wesentlicher Faktor bei der Bestimmung des individuellen Risikos für Prostatakrebs und andere Prostataerkrankungen. Mit Durchbrüchen bei Gentests

können Männer jetzt erfahren, wie ihre Gene ihre Prostatagesundheit beeinflussen können. So wurden beispielsweise Mutationen in den **Genen BRCA1 oder BRCA2**, die auch mit Brustkrebs in Verbindung gebracht werden, mit einer erhöhten Wahrscheinlichkeit in Verbindung gebracht, an aggressivem Prostatakrebs zu erkranken. Identifizierung dieser genetischen

Indikatoren können Männern und ihren Ärzten helfen, fundierte Entscheidungen darüber zu treffen, wann sie mit dem Screening beginnen, wie häufig überwacht werden soll und welche Therapien am erfolgreichsten sind, wenn Prostatakrebs entdeckt wird.

Gentests beeinflussen die Behandlungsoptionen und helfen bei der frühzeitigen Entdeckung. Spezifische genetische Profile sprechen besser auf verschiedene Behandlungen an. Zum Beispiel können Männer mit BRCA-Mutationen von gezielten Therapien wie **PARP-Inhibitoren profitieren,** die Krebszellen angreifen, indem sie ihre Fähigkeit zur Reparatur von DNA-Schäden hemmen. Das Verständnis der genetischen Ausstattung eines Patienten ermöglicht es Ärzten, Behandlungsansätze zu entwickeln, die höchstwahrscheinlich erfolgreich sind.

Über Krebs hinaus können Gentests Veranlagungen für gutartige Krankheiten wie **gutartige Prostatahyperplasie (BPH) identifizieren,** sodass Männer proaktive Schritte unternehmen können, um ihre Prostatagesundheit zu erhalten, bevor Probleme auftreten.

Biomarker: Erhöhung der Präzision bei Diagnose und Behandlung

Neben genetischen Tests werden **Biomarker** zu einem

wesentlichen Bestandteil der individuellen Prostatagesundheit. Biomarker sind im Körper nachweisbare Verbindungen, die Krankheiten erkennen oder ihr Fortschreiten vorhersagen können. Biomarker für die Prostatagesundheit können hilfreiche Informationen über die Wahrscheinlichkeit liefern, an Prostatakrebs zu erkranken, die Schwere des Krebses und wie gut ein Patient auf bestimmte Behandlungen anspricht.

Der **Prostate Health Index (PHI)** ist beispielsweise ein Bluttest, der anhand verschiedener Indikatoren das Risiko eines Mannes, an Prostatakrebs zu erkranken, bestimmt. Er ist spezifischer als der Standard-PSA-Test (Prostata-spezifisches Antigen) und kann helfen, unnötige Biopsien zu vermeiden. In ähnlicher Weise können genomische Tests wie **Oncotype DX oder Decipher** die Aktivierung von Genen in

Prostatatumorzellen bewerten, sodass Ärzte vorhersagen können, ob der Prostatakrebs eines Mannes wachsen wird

langsam oder aggressiv.

Durch die Aufnahme von Biomarker-Tests in die Routineversorgung können Ärzte maßgeschneiderte Empfehlungen für die Überwachung und Therapie geben. Diese Methode reduziert die Überbehandlung bei langsam wachsenden Tumoren und stellt gleichzeitig sicher, dass aggressive Malignome frühzeitig erkannt und effektiv behandelt werden.

Personalisierte Behandlungsmöglichkeiten

Personalisierte Lösungen für die Prostatagesundheit umfassen Behandlungsalternativen, die jetzt noch besser auf den individuellen Zustand und die Vorlieben des Patienten zugeschnitten werden können. Männer, bei denen Prostatakrebs diagnostiziert wurde, können mehrere Behandlungsoptionen haben, darunter Operation, Bestrahlung, Hormontherapie und aktive Überwachung. Die personalisierte Betreuung ermöglicht es Ärzten, Patienten auf der Grundlage ihrer individuellen Gesundheitsprofile durch diese Alternativen zu führen.

Zum Beispiel können Männer mit Prostatakrebs mit niedrigem Risiko

für eine aktive Überwachung **in Frage kommen,** eine Therapie, bei der die Malignität ohne dringende Behandlung genau überwacht wird. Diese Strategie ist besonders vorteilhaft für Männer, bei denen es unwahrscheinlich ist, dass der Krebs fortschreitet oder sich ausbreitet, und ermöglicht es ihnen, die

Risiken zu vermeiden, die mit invasiveren Therapien verbunden sind. Männer mit aggressiveren Malignomen hingegen können von der Kombination von Medikamenten wie **Strahlentherapie** und **Hormontherapie profitieren,** um die Malignität besser zu bekämpfen.

Bei der personalisierten Behandlung werden auch die möglichen Nebenwirkungen und Bedenken hinsichtlich der Lebensqualität berücksichtigt, die mit verschiedenen Arzneimitteln verbunden sind. Einige Männer bevorzugen Behandlungen, die weniger Auswirkungen auf die Harn- oder Sexualfunktion haben, während andere mehr an aggressiven Behandlungsoptionen interessiert sind, die die besten Chancen haben, den Krebs zu heilen. Eine personalisierte Betreuung garantiert, dass der Behandlungsplan den medizinischen Bedürfnissen und Lebensstilzielen entspricht,

indem individuelle Vorlieben und Gesundheitsrisiken berücksichtigt werden.

Fortschrittliche bildgebende Verfahren für eine präzise Pflege.

Eine weitere wichtige Komponente der personalisierten Prostatagesundheitsversorgung ist der Einsatz ausgeklügelter bildgebender Verfahren zur Identifizierung und Überwachung von Prostataerkrankungen. **Die multiparametrische MRT (mpMRT)** liefert beispielsweise detaillierte Bilder der Prostata und ermöglicht es dem Arzt, Problembereiche präziser zu lokalisieren als herkömmliche bildgebende Ansätze. Dies ermöglicht gezieltere Biopsien und erhöht die Genauigkeit der Erkennung von Prostatakrebs.

Bei Männern, die behandelt werden, können ausgeklügelte bildgebende Verfahren wie **PSMA-PET-Scans** (Prostata-Specific Membrane Antigen) die Ausbreitung des Krebses genau verfolgen, was es Ärzten ermöglicht, Behandlungen effizienter zu personalisieren. Durch die Bestimmung der genauen Position von Tumoren ermöglichen diese bildgebenden Verfahren eine präzisere Strahlentherapie und Operation, wodurch das Risiko von Nebenwirkungen gesenkt und die Ergebnisse verbessert werden.

Lifestyle-basierte Personalisierung

Neben erblichen und medizinischen Überlegungen liegt bei individualisierten Behandlungen der Prostatagesundheit auch eine Anpassung des Lebensstils im Vordergrund, die auf die individuellen Bedürfnisse des Einzelnen zugeschnitten ist. Ernährung, Bewegung und Stressbewältigung sind entscheidend für die Erhaltung der Prostatagesundheit und die Vorbeugung der Krankheitsentwicklung. In Zusammenarbeit mit Gesundheitsexperten können Männer individuelle Strategien entwickeln, die auf Risikofaktoren eingehen, die für ihren Lebensstil einzigartig sind.

Männern mit einem höheren Risiko für Prostatakrebs kann beispielsweise empfohlen werden, eine Diät zu sich zu nehmen, die reich an Antioxidantien wie Lycopin (in Tomaten enthalten) und Omega-3-Fettsäuren (in Fisch enthalten) ist, die beide mit einer verbesserten Prostatafunktion zusammenhängen. Personalisierte Trainingsroutinen, die das gesamte Fitnessniveau eines Mannes berücksichtigen, können auch bei der Gewichtskontrolle, der Durchblutung und der Immunfunktion helfen – all dies trägt dazu bei, das Krebsrisiko zu senken und die Genesung nach der Behandlung zu verbessern.

Personalisierte Lösungen für die Prostatagesundheit läuten

eine neue Ära in der Männergesundheit ein und bieten maßgeschneiderte Taktiken, die auf Genetik, Biomarkern, Behandlungspräferenzen und Lebensstilvariablen basieren. Durch die Betonung einer maßgeschneiderten Versorgung können Ärzte Männern genauere Diagnosen, wirksame

Behandlungen und bessere Ergebnisse liefern. Mit dem Fortschritt der Wissenschaft wird erwartet, dass die personalisierte Therapie zum Standard für das Management der Prostatagesundheit wird und es Männern ermöglicht, proaktive und maßgeschneiderte Anstrengungen zu unternehmen, um ihr Wohlbefinden zu gewährleisten.

MODERNSTE BEHANDLUNGEN UND TECHNOLOGIEN

Die Forschung und Therapie der Prostatagesundheit hat in den letzten Jahren erhebliche Fortschritte gemacht. Die Entwicklung modernster Medikamente und Technologien verändert die Art und Weise, wie Prostataerkrankungen, insbesondere Prostatakrebs, behandelt werden. Diese Verbesserungen ermöglichen eine präzisere, minimalere

invasive und effiziente Diagnose-, Behandlungs- und Überwachungsoptionen. Mit dem Fortschritt des

medizinischen Sektors geben diese Fortschritte den Patienten neue Hoffnung auf bessere Ergebnisse und eine höhere Lebensqualität.

Präzisionsmedizin und Genomtests

Einer der bedeutendsten Fortschritte in der Prostatagesundheit war der Aufstieg der Präzisionsmedizin, die die Behandlung auf das genetische Profil sowohl des Patienten als auch des Tumors abstimmt. Ärzte können jetzt genomische Tests verwenden, um bestimmte Mutationen in Prostatakrebszellen zu bewerten, was maßgeschneiderte Behandlungsschemata ermöglicht. Zum Beispiel können Männer mit Mutationen in den **BRCA1- oder BRCA2-Genen** von einer gezielten Therapie wie **PARP-Inhibitoren profitieren,** die die Fähigkeit des Krebses, DNA-Schäden zu reparieren, beeinträchtigen.

Diese genetischen Erkenntnisse helfen auch dabei, vorherzusagen, wie aggressiv der Prostatakrebs eines Mannes sein würde, was

leitet die Behandlungsauswahl. **Oncotype DX** und **Decipher** sind zwei Beispiele für genetische Tests, die das Verhalten von Prostatakrebszellen bewerten und so personalisiertere Empfehlungen für aktive Überwachung, Operation oder

andere Therapien ermöglichen. Die Präzisionsmedizin wird zu einem Eckpfeiler der Behandlung von Prostatakrebs und ermöglicht es Ärzten, die richtige Behandlung genauer auf den richtigen Patienten abzustimmen.

Immuntherapie: Das Immunsystem einbeziehen

Die Immuntherapie, eine Behandlung, die das körpereigene Immunsystem zur Bekämpfung von Krebs nutzt, entwickelt sich zu einer potenziellen Wahl für einige Prostatakrebspatienten. Während die Immuntherapie bei anderen Krankheiten, einschließlich Melanom und Lungenkrebs, weit verbreitet ist, wird sie derzeit als potenzielle Behandlung für fortgeschrittenen Prostatakrebs untersucht.

Ein Beispiel ist **Sipuleucel-T (Provenge),** ein

Immuntherapie, die exklusiv für Männer mit metastasierendem Prostatakrebs entwickelt wurde. Bei dieser Behandlung werden die eigenen Immunzellen eines Patienten extrahiert, sie so verändert, dass sie auf Prostatakrebs abzielen, und sie dann wieder in den Körper eingeführt, um das Immunsystem zu stärken. Provenge heilt Prostatakrebs nicht, aber es hat sich gezeigt, dass es die Überlebensraten bei

Männern mit fortgeschrittenen Stadien der Krankheit verbessert.

Forscher untersuchen auch Checkpoint-Inhibitoren, die dem Immunsystem helfen, Krebszellen zu erkennen und zu bekämpfen. Trotz bisher gemischter Ergebnisse zielt die aktuelle Forschung darauf ab, herauszufinden, welche Patienten am meisten von dieser Methode profitieren könnten. Die Immuntherapie ist nach wie vor eine praktikable Behandlungsoption für Prostatakrebs, insbesondere in Kombination mit anderen Arzneimitteln.

Hochintensiver fokussierter Ultraschall (HIFU)

Für Männer, die eine weniger aufdringliche Behandlung suchen für

Lokalisierter Prostatakrebs, **hochintensiver fokussierter Ultraschall (HIFU)** ist eine innovative Wahl. HIFU verwendet konzentrierte Schallwellen, um Krebszellen in der Prostata zu erhitzen und zu eliminieren, ohne dass eine Operation erforderlich ist. Die Technik wird unter Narkose durchgeführt und erfordert oft weniger Erholungszeit als invasivere Therapien wie die radikale Prostatektomie.

HIFU ist besonders attraktiv, weil es nur auf die

problematischen Teile der Prostata abzielt, gesundes Gewebe erhält und die Wahrscheinlichkeit von Nebenwirkungen wie Inkontinenz und erektiler Dysfunktion verringert. Diese Präzision macht es zu einer guten Wahl für Männer mit

Prostatakrebs im Frühstadium, die ihre Lebensqualität erhalten und gleichzeitig eine wirksame Therapie erhalten möchten. Obwohl HIFU nicht für jeden Fall geeignet ist, ist es ein unverzichtbares Werkzeug im Arsenal der Prostatakrebstherapie.

Fortschritte in der Strahlentherapie

Die Strahlentherapie wird seit langem zur Behandlung von

Prostatakrebs, aber die Entwicklungen in der Technologie machen es präziser und weniger gefährlich für benachbarte Gewebe. **Die stereotaktische Körperstrahlentherapie (SBRT)** und die intensitätsmodulierte Strahlentherapie (IMRT) sind zwei Beispiele dafür, wie Bestrahlung heute präzise verabreicht werden kann. Diese Techniken ermöglichen es Ärzten, der Prostata größere Strahlendosen zuzuführen und gleichzeitig die Schädigung benachbarter Organe wie Blase und Rektum zu begrenzen.

Eine weitere vielversprechende Entwicklung ist **die**

Protonentherapie, eine Form der Strahlung, bei der Protonen anstelle von Standard-Röntgenstrahlen verwendet werden. Die Protonentherapie kann noch präziser sein, indem sie die

Strahlenbelastung von gesundem Gewebe minimiert und sich gleichzeitig auf den Prostatatumor konzentriert. Obwohl die Protonenbehandlung aufgrund ihrer hohen Kosten und begrenzten Möglichkeiten immer noch nicht allgemein verfügbar ist, birgt sie ein enormes Potenzial für Männer mit Prostatakrebs, insbesondere für diejenigen, die mit größerer Wahrscheinlichkeit Probleme mit herkömmlicher Bestrahlung haben.

PSMA-PET-Bildgebung.

Fortschritte in der Bildgebung verändern auch die Art und Weise, wie Prostatakrebs erkannt und verfolgt wird. Eine der innovativsten Innovationen ist die **PSMA-PET-Bildgebung** (Prostate-Specific Membrane Antigen Positron Emission Tomography). Mit diesem bildgebenden Verfahren wird Prostatakrebs erkannt, der außerhalb der Prostata gewandert ist, auch wenn er mit herkömmlichen bildgebenden Verfahren nicht identifiziert werden kann.

PSMA-PET-Scans funktionieren durch den Nachweis eines überexprimierten Proteins auf der Oberfläche von Prostatakrebszellen. Dies ermöglicht es Ärzten, bösartige Zellen mit bisher unerreichter Präzision zu erkennen und Metastasen früher als je zuvor zu lokalisieren. Die erhöhte

Genauigkeit von PSMA-PET-Scans wird es Ärzten ermöglichen, fundiertere Behandlungsentscheidungen zu treffen, insbesondere wenn der Krebs zurückgekehrt ist oder sich ausgebreitet hat.

Flüssige Biopsien

Ein weiterer Fortschritt in der Prostatagesundheit ist die Einführung von **Flüssigbiopsien,** die eine weniger invasive Methode zur Verfolgung des Fortschreitens der Krebserkrankung und des Ansprechens auf die Therapie darstellen. Im Gegensatz zu Standardbiopsien, bei denen Gewebeproben benötigt werden, untersuchen Flüssigbiopsien zirkulierende Tumor-DNA (ctDNA) oder andere Indikatoren in einer Blutprobe. Auf diese Weise ist es einfach, den Fortschritt der Krebserkrankung eines Patienten im Laufe der Zeit zu überwachen und die Behandlungsschemata entsprechend anzupassen.

Flüssigbiopsien haben das Potenzial, Prostatakrebs früher zu erkennen und den Bedarf an mehreren Gewebebiopsien zu reduzieren. Mit fortschreitender Technologie könnten

Flüssigbiopsien zu einem Standardelement bei der Überwachung von Prostatakrebs werden und wichtige

Informationen darüber liefern, wie effektiv Therapien wirken und ob Anpassungen erforderlich sind.

Der Bereich der Prostatagesundheit erlebt einen Innovationsschub, wobei modernste Behandlungen und Technologien Männern mit

Probleme mit der Prostata. Diese Innovationen, die von maßgeschneiderten Medikamenten und Immuntherapien bis hin zu besseren Bildgebungs- und Bestrahlungsverfahren reichen, verändern die Art und Weise, wie Prostatakrebs diagnostiziert, behandelt und überwacht wird. Da diese Technologien immer allgemeiner verfügbar werden, haben sie das Potenzial, die Ergebnisse zu verbessern, Nebenwirkungen zu beseitigen und die allgemeine Lebensqualität von Männern mit Prostataproblemen zu verbessern.

DIE ROLLE VON GESUNDHEITSDIENSTLEISTERN BEI DER FÖRDERUNG DER PROSTATAGESUNDHEIT

Gesundheitsdienstleister spielen eine wesentliche Rolle bei der Befürwortung der Prostatagesundheit, da sie die

Hauptquelle für Beratung, Aufklärung und Unterstützung für Männer mit Prostataproblemen sind. Ihre Aufgaben gehen über die Diagnose und Behandlung von Prostataproblemen wie Krebs oder gutartiger Prostata hinaus

Hyperplasie (BPH); Sie stärken den Einzelnen auch durch präventive Behandlung, Früherkennungsmaßnahmen und umfassende Aufklärung. Durch die Förderung eines proaktiven Ansatzes für die Prostatagesundheit können Gesundheitsdienstleister Männern dabei helfen, fundierte Entscheidungen zu treffen, ihr Risiko für schwerwiegende Probleme zu senken und die allgemeine Gesundheit zu verbessern.

Aufklärung von Patienten über Prostatagesundheit

Eine der wichtigsten Aufgaben von Gesundheitsdienstleistern ist es, Patienten über die Bedeutung der Prostatagesundheit und die vielen Krankheiten, die sich entwickeln können, aufzuklären. Viele Männer sind sich ihrer Prostata nicht bewusst, bis Symptome auftreten, weshalb eine frühzeitige Aufklärung von entscheidender Bedeutung ist. Anbieter können das Bewusstsein für die Notwendigkeit häufiger Prostatagesundheitsuntersuchungen fördern, insbesondere bei Männern über 50 Jahren und Personen mit einer familiären Vorgeschichte von Prostatakrebs.

Eine weitere wichtige Pflicht der Kliniker ist die Aufklärung

Patienten über Lebensstilvariablen, die die Gesundheit der Prostata beeinflussen, wie Ernährung, Bewegung und Raucherentwöhnung. Indem sie Patienten ermutigen, gesündere Praktiken anzuwenden, können Ärzte dazu beitragen, die Wahrscheinlichkeit von Prostataproblemen zu verringern, bevor sie auftreten. Diskussionen über die Rolle der Genetik und der Familienanamnese bei Prostatakrebs können auch dazu führen, dass Risikopatienten früher und häufiger untersucht werden.

Gesundheitsdienstleister entlarven Mythen über die Gesundheit der Prostata durch offene Kommunikation und regelmäßige Diskussionen, so dass sich Männer sicherer fühlen und über ihre Behandlungsmöglichkeiten aufgeklärt werden können.

Förderung der Früherkennung und des Screenings.

Die Früherkennung von Prostatakrebs ist entscheidend für eine wirksame Behandlung, und Ärzte stehen an vorderster Front, wenn es darum geht, sicherzustellen, dass Männer

rechtzeitig und angemessen untersucht werden. Die Anbieter
müssen eine Balance finden zwischen der Notwendigkeit der
Früherkennung und der

die Gefahren einer Überdiagnose und Überbehandlung,
insbesondere bei Prostata-spezifischen Antigen-Tests (PSA),
die nach wie vor ein wesentliches Instrument bei der
Prostatakrebsvorsorge sind.

Anbieter sollten offene Gespräche mit Patienten über die Vor-
und Nachteile von PSA-Tests führen. Erhöhte PSA-Werte bei
bestimmten Männern können zusätzliche Tests wie Biopsien
erforderlich machen, aber nicht alle Prostatatumoren erfordern
eine sofortige Behandlung. Gesundheitsdienstleister spielen
eine wesentliche Rolle bei der Vermittlung dieser Nuancen an
die Patienten und helfen ihnen, die Vor- und Nachteile des
Screenings in Abhängigkeit von ihren spezifischen
Risikofaktoren wie Alter, Familienanamnese und Rasse
abzuwägen.

Gesundheitsdienstleister fördern den am besten geeigneten
und individuellsten Ansatz zur Erkennung von Prostatakrebs,
indem sie maßgeschneiderte Screening-Verfahren empfehlen

und die allgemeine Gesundheit des Patienten im Auge behalten.

Angebot eines multidisziplinären Behandlungsansatzes

Sobald ein Gesundheitsproblem der Prostata entdeckt wird, koordinieren Gesundheitsexperten die folgenden Phasen der Therapie, an denen häufig ein multidisziplinäres Team beteiligt ist. Urologen, Onkologen, Radiologen und Allgemeinmediziner arbeiten zusammen, um sicherzustellen, dass Patienten einen umfassenden Behandlungsplan erhalten, der erfolgreich und auf ihre Bedürfnisse zugeschnitten ist.

Gesundheitsdienstleister helfen Patienten, ihre Behandlungsmöglichkeiten für Prostatakrebs zu verstehen, die aktive Überwachung, Operationen, Strahlentherapie, Hormontherapie oder neuere Therapien wie Immuntherapie oder Präzisionsmedizin umfassen können. Ein vollständiger, kollaborativer Ansatz stellt sicher, dass die potenziellen Risiken und Vorteile jeder Behandlung gründlich berücksichtigt werden, sodass die Patienten fundierte Entscheidungen auf der Grundlage ihrer Umstände treffen können.

Ärzte helfen Patienten bei der Behandlung von Nebenwirkungen während

Therapie und Erhalt ihrer Lebensqualität. Dazu gehört die Bewältigung der körperlichen Auswirkungen von Behandlungen wie Erschöpfung, Urinveränderungen und

sexuelle Gesundheitsprobleme sowie die psychologische Unterstützung von Patienten, die mit den emotionalen Herausforderungen der Krebstherapie umgehen. Überweisungen an Berater, Selbsthilfegruppen und Rehabilitationseinrichtungen können die Therapieerfahrung erheblich verbessern.

Advocacy für Prävention und Gesundheitsförderung

Gesundheitsdienstleister befürworten präventive Gesundheitsmaßnahmen, die das Risiko von Prostataproblemen senken. Zum Beispiel können sie Ernährungsumstellungen vorschlagen, die die Gesundheit der Prostata verbessern, wie z. B. den Verzehr von mehr Obst und Gemüse, weniger rotem Fleisch und verarbeiteten Lebensmitteln. Anbieter können auch regelmäßige körperliche Aktivität fördern, was nachweislich die Gesundheit der

Prostata verbessert, indem es Entzündungen senkt und die Durchblutung erhöht.

Ein weiterer wichtiger Aspekt der Prävention ist die Förderung regelmäßiger Vorsorgeuntersuchungen und Prostatauntersuchungen, insbesondere bei Personen mit höherem Risiko. Männer, die genetisch für Prostatakrebs prädisponiert sind oder zu Hochrisikogruppen gehören, wie

z. B. afroamerikanische Männer, können von häufigeren Untersuchungen und Diskussionen über Vorsorge profitieren.

Anbieter sollten auch die Bedeutung der psychischen Gesundheit und des Stressmanagements als Teil einer umfassenden Wellness-Strategie betonen und anerkennen, dass emotionales Wohlbefinden untrennbar mit der körperlichen Gesundheit verbunden ist. Die Förderung von Achtsamkeit, Stressabbaustrategien und regelmäßige Bewegung können Männern helfen, einen ausgewogenen Lebensstil aufrechtzuerhalten, der die langfristige Gesundheit der Prostata fördert.

Unterstützung des langfristigen Überlebens

Gesundheitsdienstleister spielen eine wesentliche Rolle bei der

Langzeitüberleben von Männern, die wegen Prostatakrebs oder anderen Prostataerkrankungen behandelt wurden. Die Nachsorge ist entscheidend für die Überwachung des Wiederauftretens von Krebs und die Behandlung anhaltender Gesundheitsprobleme in der Prostata oder in verschiedenen Körperregionen. Die Patienten werden regelmäßig nachsorgerisch betreut, einschließlich PSA-Tests,

bildgebenden Scans und körperlichen Untersuchungen, um Anzeichen eines erneuten Krebsauftretens zu erkennen.

Darüber hinaus unterstützen Gesundheitsexperten Männer bei der Bewältigung der langfristigen Nebenwirkungen von Therapien wie Urininkontinenz, erektiler Dysfunktion oder hormoneller Anomalien. Rehabilitative Behandlungen, Physiotherapie und Arzneimittel sind häufig in langfristigen Managementplänen enthalten, um die Lebensqualität zu verbessern und zu erhalten. Die psychische Gesundheitsversorgung ist besonders wichtig, da sich Männer an das Leben nach der Behandlung gewöhnen und emotionale Schwierigkeiten im Zusammenhang mit ihrer Genesung haben können.

Gesundheitsdienstleister spielen eine wesentliche Rolle bei der Förderung der Prostatagesundheit, indem sie Patienten unterstützen

durch Prävention, Früherkennung, Behandlung und Langzeitpflege. Durch die Aufklärung von Patienten, die Förderung von Vorsorgeuntersuchungen, die Unterstützung interdisziplinärer Behandlungsansätze und das Eintreten für ein gesundes Leben ermöglichen Ärzte Männern, ihre Prostatagesundheit selbst in die Hand zu nehmen. Dieser

patientenzentrierte Ansatz stellt sicher, dass Männer die beste Versorgung erhalten, die auf ihre Bedürfnisse und Umstände zugeschnitten ist. Gesundheitsdienstleister spielen eine wesentliche Rolle bei der Verbesserung der Prostatagesundheit von Männern in allen Lebensphasen, indem sie kontinuierliche Unterstützung und Interessenvertretung bieten.

SCHLUSSFOLGERUNG

Männer mit Wissen für eine lebenslange Prostatagesundheit stärken

Für viele Männer ist die Gesundheit der Prostata ein Thema, das ignoriert wird, bis ein Problem auftritt. Leider kann diese reaktive Strategie zu eingeschränkten Behandlungsmöglichkeiten und verzögerten Diagnosen von Krankheiten führen, die bei frühzeitiger Erkennung effizient kontrolliert oder sogar verhindert werden könnten. Bewusstsein, Aufklärung und eine proaktive Haltung sind die ersten Schritte auf dem Weg zu einer langfristigen Prostatagesundheit. Wir können das Gespräch über die Gesundheit der Prostata von Angst und Unsicherheit zu einem Gespräch über Kontrolle und Selbstvertrauen verändern, indem wir Männer mit den Informationen ausstatten, die sie benötigen, um kluge Entscheidungen zu treffen.

Diskussionen über die Gesundheit der Prostata beginnen häufig kurz nachdem

Die Symptome beginnen sich zu zeigen. Krankheiten wie die gutartige Prostatahyperplasie (BPH) oder Prostatakrebs können jedoch bereits fortgeschritten sein, wenn die Symptome auftreten. Aus diesem Grund ist es wichtig, die Bedeutung von Routineuntersuchungen und Früherkennung zu verstehen. Mit den richtigen Informationen ist es wahrscheinlicher, dass Männer von klein auf die Verantwortung für ihre Gesundheit übernehmen, ihre Ärzte zur Untersuchung aufsuchen und mit ihnen über Probleme sprechen. Das Verständnis der verfügbaren Screening-Methoden, wie z. B. der digitalen rektalen Untersuchung (DRE) oder des PSA-Tests, kann Leben retten, indem es bei der Früherkennung möglicher Probleme hilft.

Das Stigma oder Unbehagen, das damit verbunden ist, über die Gesundheit von Männern zu sprechen, ist eines der größten Hindernisse für eine frühzeitige Gesundheitsversorgung der Prostata. Wenn es um heikle Themen wie sexuelle Funktion oder Harnwegsprobleme geht, sprechen viele Männer nur ungern über ihre gesundheitlichen Probleme. Männer können sich wohler fühlen, wenn sie über ihre Gesundheit sprechen, wenn wir diese Diskussionen zu Hause und in der Arztpraxis normalisieren. Um diese offene Diskussion zu fördern,

Medizinisches Fachpersonal ist von entscheidender Bedeutung. Männer neigen eher dazu, routinemäßigen Prostatauntersuchungen Vorrang einzuräumen, wenn sie erkennen, wie wichtig sie im Vergleich zu anderen Gesundheitsuntersuchungen sind. Dieser proaktive Ansatz erleichtert nicht nur die Früherkennung, sondern bietet auch mehr Behandlungsalternativen, wenn Probleme auftreten.

Ein weiterer wesentlicher Bestandteil der Aufklärung über Prostatagesundheit ist die Kenntnis der Risikofaktoren, die mit Prostataproblemen verbunden sind. Vielen Männern ist möglicherweise nicht bewusst, dass ihr Risiko für Prostatakrebs durch ihr Alter, ihre Rasse und ihre Familienanamnese beeinflusst werden kann. Männer über 50 zum Beispiel sind anfälliger für Probleme mit ihrer Prostata, und diejenigen, die eine familiäre Vorgeschichte von Prostatakrebs haben, müssen möglicherweise noch früher mit dem Screening beginnen. Darüber hinaus ist es bei afroamerikanischen Männern im Vergleich zu anderen Rassengruppen wahrscheinlicher, an Prostatakrebs zu erkranken und daran zu sterben. Mit diesen Informationen können Männer Routineuntersuchungen entsprechend ihrer Risikofaktoren planen und einen personalisierten Ansatz für ihre Gesundheit wählen.

Es ist auch wichtig zu betonen, wie sich die Genetik auf die Gesundheit der Prostata auswirkt. Dank der Entwicklungen bei Gentests wissen wir jetzt mehr darüber, wie einige erbliche Mutationen das Risiko für Prostatakrebs erhöhen können. Zum Beispiel entwickeln Männer, die Mutationen in den **BRCA1- oder BRCA2-Genen haben,** häufiger aggressive Arten von Prostatakrebs. Gentests können wichtige Informationen liefern, die Menschen helfen, Entscheidungen im Gesundheitswesen zu treffen, wenn sie von einer Familienanamnese mit bestimmten Anomalien wissen. Mit diesem Wissen können Männer mit ihren Medizinern zusammenarbeiten, um individuelle Screening- und Präventionsstrategien zu entwickeln. Dieser personalisierte Ansatz für die Gesundheit der Prostata steht im Einklang mit der expandierenden Bewegung der Präzisionsmedizin, die präventive Maßnahmen und Therapien auf dem Lebensstil und der genetischen Zusammensetzung eines Patienten basiert.

Es ist nicht zu leugnen, dass Lebensstilentscheidungen neben Vorsorgeuntersuchungen und Früherkennung auch Auswirkungen auf die Gesundheit der Prostata haben. Männer können ihr Risiko für

Prostataprobleme durch eine nahrhafte Ernährung, häufiges

Training und den Verzicht auf destruktive Verhaltensweisen wie Rauchen und Alkoholkonsum. Es hat sich gezeigt, dass die Gesundheit der Prostata vor allem von der Ernährung beeinflusst wird. Es wird angenommen, dass die Gesundheit der Prostata durch Lebensmittel unterstützt wird, die reich an Omega-3-Fettsäuren sind, wie Fisch, und Antioxidantien wie Tomaten, die Lycopin enthalten. Auf der anderen Seite wurde ein höheres Risiko für Prostatakrebs mit einer Ernährung in Verbindung gebracht, die viel verarbeitete Lebensmittel und rotes Fleisch enthält. Es ist wichtig, Männern beizubringen, wie sich ihre täglichen Entscheidungen auf ihre langfristige Gesundheit auswirken. Diese Änderungen des Lebensstils unterstützen eine gesunde Prostata und verbessern die allgemeine Gesundheit.

Ein weiteres wesentliches Element zur Erhaltung der Prostatagesundheit ist regelmäßige Bewegung. Es hat sich gezeigt, dass Bewegung der Prostata hilft, indem sie die Durchblutung fördert, Entzündungen senkt und Hormone reguliert. Selbst moderate körperliche Aktivität kann Männern zugute kommen, die eine sitzende Tätigkeit führen

Lebensstile. Ziel ist es, kleine, lang anhaltende Verbesserungen zu erzielen, die im Laufe der Zeit aufrechterhalten werden können. Das kann Krafttraining sein,

Sport treiben oder täglich spazieren gehen. Diese Aktivitäten unterstützen neben der körperlichen Gesundheit auch die geistige und emotionale Gesundheit von Männern, was mit einer Verbesserung der Prostatagesundheit verbunden ist. Sie helfen auch Männern, mit Stress umzugehen.

Trotz ihrer Bedeutung wird die psychische Gesundheit häufig außer Acht gelassen, wenn es um die Gesundheit der Prostata geht. Es kann emotional anstrengend sein, eine Diagnose von Prostatakrebs oder einem anderen Prostataproblem zu erhalten, das Angst, Furcht oder sogar Melancholie auslösen kann. Während ihrer gesamten Reise sollten Männer Zugang zu psychischer Hilfe haben. Der emotionale Aspekt der Prostatagesundheit muss angesprochen werden, sei es durch Therapie, Selbsthilfegruppen oder Gespräche mit Angehörigen. Ein umfassender Ansatz für die Gesundheit der Prostata erkennt die enge Beziehung zwischen geistiger und körperlicher Gesundheit und der Notwendigkeit an, die Gesundheit zu erhalten

beides für langfristiges Wohlbefinden.

Männer haben heute mehr Alternativen als je zuvor, wenn es um die Behandlung geht. Die Behandlung von Prostatakrebs hat sich im medizinischen Bereich erheblich weiterentwickelt, mit weniger aufdringlichen Verfahren, gezielteren

Medikamenten und Optionen mit weniger Nebenwirkungen. Die Protonentherapie und der hochintensive fokussierte Ultraschall (HIFU) sind beispielsweise ein interessanter Ersatz für Bestrahlung oder Standardoperationen, die sich weniger negativ auf die Lebensqualität auswirken. Darüber hinaus werden durch die Entwicklung von Immuntherapien und maßgeschneiderten Behandlungen neue Wege zur Behandlung von aggressivem oder fortgeschrittenem Prostatakrebs ermöglicht. Männer, die mit diesen Entwicklungen Schritt halten, können in Zusammenarbeit mit ihren Medizinern einen Therapieverlauf auswählen, der am besten zu ihrem Lebensstil und ihren Gesundheitszielen passt.

Das Eintreten für die Gesundheit der Prostata geht auch über die Person hinaus. Sei es durch das Teilen persönlicher Geschichten, das Bewerben von Routineuntersuchungen oder die Teilnahme an

Sensibilisierungsinitiativen müssen sich Männer gegenseitig auf ihrem Weg zur Gesundheit unterstützen. Männer suchen eher Hilfe auf, wenn sie sie brauchen, und es wird weniger Stigmatisierung mit der Prostatagesundheit verbunden sein, je mehr wir darüber sprechen. Die Unterstützung der Gemeinschaft kann viele Formen annehmen und reicht von nationalen Kampagnen während des Prostatakrebsmonats bis

hin zu lokalen Gesundheitsinitiativen. Diese Initiativen geben Männern die Ressourcen, um ihre Gesundheit in die Hand zu nehmen, das Bewusstsein zu schärfen und die Forschung zu finanzieren.

Angehörige der Gesundheitsberufe sind in diesem Prozess von entscheidender Bedeutung, da sie als Pädagogen und Fürsprecher für die Gesundheit von Männern fungieren. Patienten sind besser in der Lage, Entscheidungen zu treffen, wenn sich ihre Anbieter die Zeit nehmen, Fragen zu beantworten, Probleme der Prostatagesundheit zu klären und maßgeschneiderte Pflegepläne zu entwickeln. Darüber hinaus unterstützen sie routinemäßige Vorsorgeuntersuchungen und Vorsorgeuntersuchungen, die für die frühzeitige Erkennung von Problemen und die Verbesserung der Ergebnisse unerlässlich sind. Männer können sicher sein, dass sie

die beste Versorgung für ihre Prostatagesundheit durch die Zusammenarbeit mit Gesundheitsdienstleistern.

Die Erkenntnis, dass die Gesundheit der Prostata ein lebenslanges Unterfangen ist, ist mit zunehmendem Alter von entscheidender Bedeutung. Das langfristige Wohlbefinden wird durch regelmäßige Vorsorgeuntersuchungen, einen guten Lebensstil und das Verfolgen neuer Therapien aufrechterhalten. Männer haben eine höhere Chance, in

Zukunft größere Probleme zu vermeiden, wenn sie frühzeitig beginnen, der Gesundheit der Prostata Priorität einzuräumen. Aber es ist nie zu spät, sich zum Besseren zu verändern. Jede Maßnahme zur Verbesserung der Prostatagesundheit ist ein Schritt in Richtung eines gesünderen, leistungsfähigeren Lebens, sei es durch Änderungen des Lebensstils, Routineuntersuchungen oder Gespräche mit medizinischem Fachpersonal.

Die Gesundheit der Prostata ist ein wichtiger Bestandteil der allgemeinen Gesundheit und des Wohlbefindens von Männern und mehr als nur ein medizinisches Anliegen. Wir können Männern helfen, ein längeres und gesünderes Leben zu führen, indem wir ihnen die Informationen geben, die sie benötigen, um ihre Gesundheit in die Hand zu nehmen. Diese Reise umfasst die Wahl des Lebensstils, Bildung, Früherkennung und den Zugang zu

Therapien auf dem neuesten Stand der Technik. Männer können selbstbewusst mit ihrer Prostatagesundheit umgehen und Entscheidungen treffen, die mit ihren langfristigen Zielen und persönlichen Werten übereinstimmen, wenn sie das richtige Wissen und die richtige Unterstützung erhalten.